Alice Oseman

Nick and Charlie

Nick és Charlie

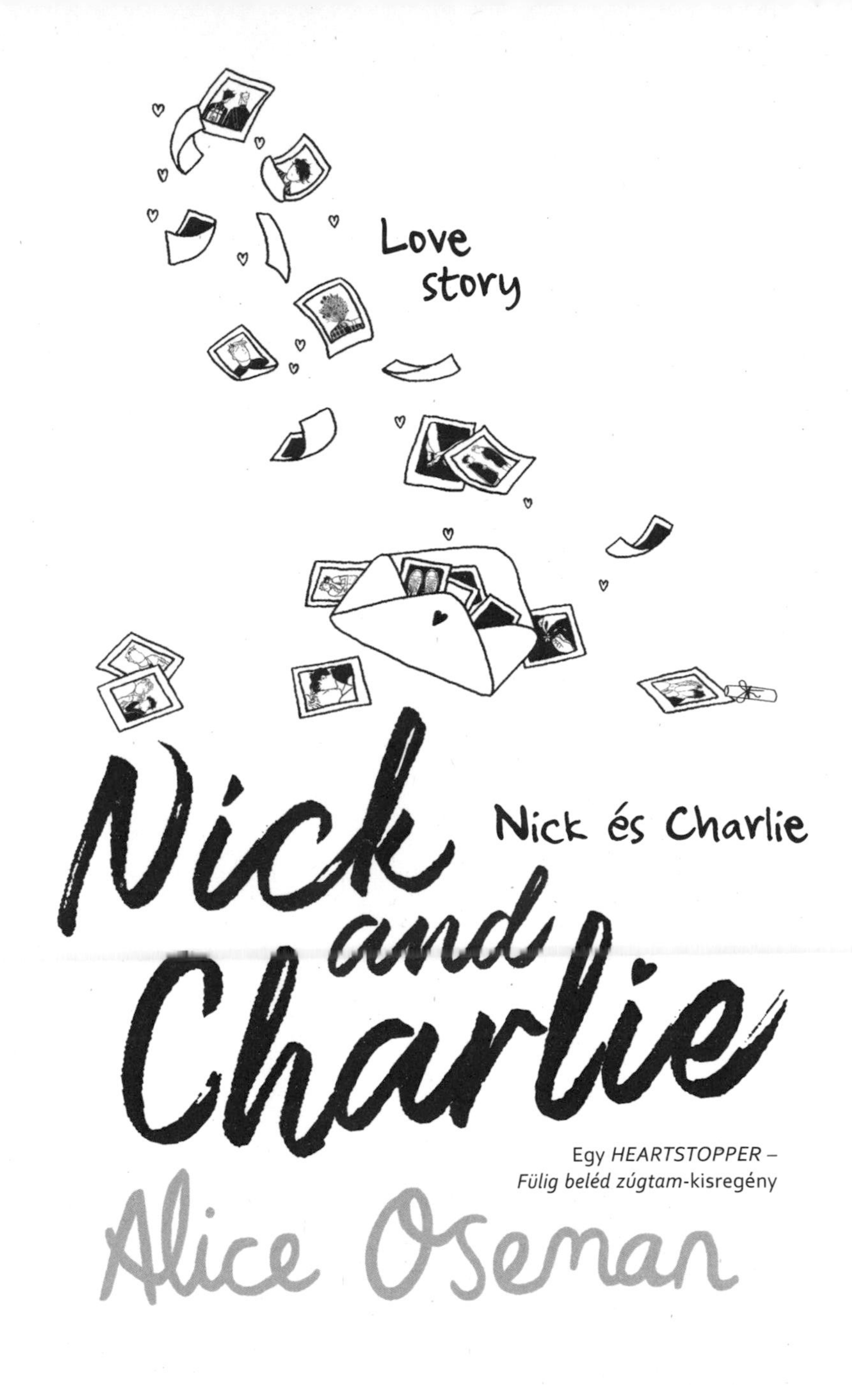

Első kiadás
Könyvmolyképző Kiadó, Szeged, 2023

Írta: Alice Oseman
A mű eredeti címe: Nick and Charlie - A Heartstopper Novella

First published in English in Great Britain by HarperCollins Children's Books,
a division of HarperCollins*Publishers* Ltd.

Fordította: Hujder Adrienn
A szöveget gondozta: Róbert Katalin

A sorozatterv, annak elemei és az olvasókhoz szóló üzenet
a borítóbelsőn Katona Ildikó munkája.

ISSN 2060-4769
ISBN 978 963 597 635 5

© Kiadta a Könyvmolyképző Kiadó, 2023-ban
Cím: 6701 Szeged, Pf. 784
Tel.: (62) 551-132, Fax: (62) 551-139
E-mail: info@konyvmolykepzo.hu
www.konyvmolykepzo.hu
Felelős kiadó: Katona Ildikó

Műszaki szerkesztő: Szegedi Marinka
Korrektorok: Deák Dóri, Gera Zsuzsa
Készült a Generál Nyomdában, Szegeden
Felelős vezető: Hunya Ágnes

Alice Oseman magyarul megjelent könyvei

Solitaire – Pasziánsz

This Winter – Az idei tél

Heartstopper – Fülig beléd zúgtam 1.

Heartstopper – Fülig beléd zúgtam 2.

Heartstopper – Fülig beléd zúgtam 3.

Heartstopper – Fülig beléd zúgtam 4.

Szia!
KATT
PARIS
CITY MAP

„– Hogyne, nagyon is közömbös – nevetett Elizabeth.
– Ó, Jane, jó lesz vigyázni!
– Csak nem tartasz engem oly gyöngének, drága Lizzy, hogy ezek után is veszélyben forgok?
– Én úgy látom, nagyon is komoly a veszély, hogy Bingley jobban beléd szeret, mint valaha."

(Jane Austen: *Büszkeség és balítélet*[1])

[1] Szenczi Miklós fordítása.

EGY

Charlie

A Truham Gimnázium iskolaelnökeként sok mindent tettem már. Berúgtam a bortól a szülők estjén. Három alkalommal fotózkodtam a polgármesterrel. Egyszer véletlenül megríkattam egy hetedikest.

Ám egyik sem volt annyira rossz, mint az, hogy minden végzőst meg kell akadályoznom abban, hogy élvezze az utolsó tanítási napját. Az osztályfőnökünk, Mr. Shannon éppen most próbál meg rávenni erre.

Valószínűleg érdemes megemlíteni, hogy a pasim, Nick Nelson, akivel két éve együtt vagyunk, egyike ezeknek a végzősöknek.

– Nem bánod, ugye? – Mr. Shannon nekitámaszkodik annak a társalgóbeli asztalnak, aminél a vizsgáimra kellene készülnöm, de valójában Mac DeMarco-koncerteket nézek a telefonomon. – Egy kicsit elszabadultak a dolgok, és azt hiszem, nagyobb valószínűséggel hallgatnak majd rád, mint rám, ha érted, mire gondolok.

– Öhm… – Vetek egy pillantást a barátomra, Tao Xura, aki mellettem ül, és egy csomag Galaxy Minstrelst eszik. Felvonja a szemöldökét, mintha azt mondaná: „Szar neked."

Nem igazán akarok igent mondani.

A végzősök utolsó tanítási napja *High School Musical*-témájú. Kiakasztottak egy óriási „East High" táblát a Truham fölött, az iskola kapujában. Az osztályterem számítógépjein lejátsszák a soundtracket, így bárhol is vagy az iskolában, egy *High School Musical*-dal szól valahonnan, de sosem tudod biztosan, honnan. Szünetben csináltak egy *What Time Is It*-flashmobot a futballpályán. És mindannyian piros kosárlabdamezben vagy pomponlányruhában jelentek meg az iskolában. Kiábrándító módon Nick kosárlabdázónak állt.

Mindennek a tetejébe, egy nem a *HSM*-hez kapcsolódó mellékprogramként, építettek a teniszpályán kartondobozokból egy erődöt, és odabent grilleznek.

– Csak azt akarom, hogy tegyék ki a grillt – mondja Shannon. Nyilvánvalóan látja, mennyire vonakodom besétálni egy dobozerődbe százötven, nálam idősebb ember közé, és megmondani nekik, hogy hagyják abba a szórakozást. – Tudod. Egészségügyi és biztonsági okokból. Ha valaki megég, én leszek az, aki a dühös szülőkkel foglalkozik – kuncog.

Mr. Shannon teljesen megbízott bennem az alatt a néhány hónap alatt, mióta iskolaelnök vagyok. Ez vicces, mert ritkán teszek meg bármit, amit mond nekem.

Őrizd meg a tanárok támogatását, és a diákokét is. Ne szerezz ellenségeket vagy túl sok barátot. Ez a tanácsom az iskola túléléséhez.

– Igen, persze, semmi gond – mondom.

– Határozottan életmentő vagy! – mutat rám, miközben elsétál. – Ne tanulj túl keményen!

Tao rám néz, még mindig a csokoládét rakosgatja a szájába.

– Valójában nem fogsz szembeszállni a végzősökkel, igaz?

Nevetek.

– Nem. Csak megyek, megnézem, mire készülnek, és megmondom nekik, hogy vigyázzanak Shannonnal.

A másik barátom, Aled Last felnéz rám az asztal másik oldaláról. Az elmúlt órában a matematikajegyzeteit színkódolta.

– Tudnál hozni nekem visszafelé egy hamburgert?

Felállok a székemről, és felveszem a zakómat.

– Ha maradt még.

A mi évfolyamunk már elment tanulmányi szabadságra, az egyetlen ok, amiért én itt vagyok, az, hogy jobban megy az ismétlés az iskolában, mint otthon. Tao és Aled ugyanígy van vele. De egyikünk sem akar igazán itt lenni. Ez az idei év legmelegebb napja, én pedig csak le akarok feküdni valahol egy jégtömlővel a fejemen.

Nickkel terveink vannak erre a hétvégére. Végre megszabadult az iskolától, én pedig szünetet tartok majd az ismétlésben. Ma csütörtök van; a ma estét nála töltöm. Holnap bulizni megyünk Harry végzősöknek rendezett partijára. Szombaton irány a tengerpart. Vasárnap pedig London.

Nem mintha nem töltenénk minden hétvégét amúgy is együtt.

Nem mintha nem látnánk egymást minden egyes nap.

Ha azt mondtad volna nekem három évvel ezelőtt, hogy már két éve kapcsolatban leszek, mire betöltöm a tizenhetet, az arcodba nevetek.

– CHARLIE SPRING!

Amikor átsétálok a dobozerőd bejáratán, egy transzparens alatt, amin az áll, „VADMACSKÁK!”, Harry Greene kitárt karral közelít felém. Egy tizenkét éveseknek való *High School Musical*-es pomponlányjelmezt visel, ami sokkal többet mutat a combjából, mint amennyi valószínűleg helyénvaló egy iskolában.

Az erőd hatalmas – két teniszpályát is birtokba vettek. A vicces mennyiségű karton mellett különböző tantermekből elloptak legalább tíz asztalt, és felállítottak a két pálya között egy teljesen működőképes grillezőt is. Egypár ember hamburgereket és péksüteményeket osztogat. A Vampire Weekend szól a sarokban lévő, vezeték nélküli hangszóróból.

A végzősök nagy része itt van – sőt, talán mindenki. *Hatalmas* évfolyam az iskola többi részéhez képest, ebből az évfolyamból egy csomó Higgs-lány jött át a Truhambe, miután a Higgsben volt egy nagy tűz, és néhány épület leégett. Hosszú történet.

Harry csípőre teszi a kezét, és felvigyorog rám.

– Vélemény?

Harry Greene egy meglehetősen alacsony srác nagyon magasra fésült hajjal, valószínűleg ő a leghírhedtebb személy az egész iskolában, részben annak köszönhetően, hogy mennyi partit rendez, részben annak, hogy soha, de soha nem fogja be.

Felvonom a szemöldököm.

– Az erődről vagy a combodról?

– Mindkettőről, haver.

– Mindkettő nagyszerű – mondom kifejezéstelen arccal. – Szép munka! Csak így tovább!

Harry oldalsó kitörésbe lép.

– Tudtam, hogy a szoknya jó döntés volt. Gyakrabban kéne hordanom.

– Határozottan.

Harry régen elég gonoszkodó volt – csak egy a számtalan idősebb fiú közül, aki szemétkedett velem, amikor fiatalabb voltam, és az egyetlen melegként előbújt kölyök az iskolában. De az évek során,

szerencsére, legyőzte önmagát, és rájött, hogy homofóbnak lenni nem menő.

Nem mintha megbocsátottam volna neki. Nick és én még mindig úgy gondoljuk, hogy ő egy hatalmas pöcs.

Még mindig kitörő pozícióban áll, és azt kérdezi:

– Shannon küldött? Azért jöttél, hogy felszámold a mulatságunkat?

– Technikailag, igen.

– Megteszed?

– Nyilvánvalóan nem.

Harry bólint.

– Sokra fogod vinni, haver. Sokra fogod vinni.

Nicket általában nagyon könnyű kiszúrni a tömegben, de ma majdnem mindenki pirosat visel. Van néhány ember, akit ez nyilvánvalóan nem tudott érdekelni, az egyik a nővérem, Tori, aki a fekete Truham-egyenruhájában ül a kék aszfalton egy sarokban, és a barátnőjével, Ritával beszélget. De rajta és még néhány emberen kívül mindenki összemosódik egy óriási vörös masszává.

– Nick ott van.

Visszanézek Harryre. A bal szélső sarok felé mutat, és rám vigyorog. Aztán elindul a sarok felé, a *We're All in This Together*t dúdolva, én pedig követem őt.

– NICK, HAVER! – kiált át Harry a végzősök tömegén, akik mind ételt meg vörös műanyag poharat tartanak a kezükben, és egymással fotózkodnak.

És itt van ő.

Kissé kábult arckifejezéssel fordul el egy kisebb csoporttól, mintha nem lenne egészen biztos benne, nem csak képzeli-e Harry hangját.

Tizennégy éves korom óta járok Nick Nelsonnal. Szereti a rögbit és a Forma–1-et, az állatokat (különösen a kutyákat), a

Marvel-univerzumot, a hangot, amit a filctollak kiadnak a papíron, az esőt, rajzolni a cipőjére, Disneylandet és a minimalizmust. Na és persze engem.

A haja sötétszőke, a szeme barna, és öt centivel magasabb, mint én, ha érdekelnek az ilyen dolgok. Szerintem igazán szexi, de ez lehet, hogy csak az én véleményem.

Amikor észrevesz minket, lelkesen integet, és amikor végre odaérünk hozzá, rám néz, és azt kérdezi:

– Minden rendben?

Nick *High School Musical*-jelmeze egy élénkpiros tornanadrágból és egy piros trikóból áll. Egy papírdarabot tűzött a mellkasára, rajta egy nagyon rosszul megrajzolt vadmacskával. Hogy őszinte legyek, volt már rosszabb öltözéke is.

– Nem írtál vissza nekem – mondom.

Belekortyol az italába.

– Túlságosan el voltam foglalva azzal, hogy a játékra koncentráljak.

Aztán feltart egy egyszer használatos fényképezőgépet, és mielőtt esélyem lenne mosolyogni, vagy meggyőződhetnék róla, hogy bármilyen szempontból is szalonképesen nézek ki, készít egy fotót rólam.

Egy másodperccel elkésve emelem fel a kezem a kamera előtt.

– Nick!

Hangosan felnevet, és elkezdi visszatekercselni a kamerát, mielőtt betenné a zsebébe.

– Még egy a Bolondos Charlie-kollekcióba.

– Ó, istenem!

Harry végre elkószál beszélgetni egy másik csoporthoz, így Nick egy kicsit közelebb lép, a kezünk pedig automatikusan összeér. Úgy koppint az enyémre, mintha tapsjátékot játszanánk.

– Itt maradsz egy kicsit? Vagy tanulsz?

Körbepillantok.

– Nem igazán tanulok. Mac DeMarco-koncerteket néztem.

– Ah, hát persze!

Csak álldogálunk itt egy kicsit, összeérő ujjakkal, aztán Nick felemeli az egyik kezét, hogy kicsit megigazítsa a hajamat. Hirtelen belém hasít, hogy ez az utolsó nap, amikor ugyanabba az iskolába járunk. Vége a hat teljes évnek, amikor minden hétköznap ugyanazon a helyen voltunk. A két évnek, amikor egy pár voltunk az iskolában. Kétévnyi együtt ebédelésnek, közös tanulócsoportban üldögélésnek, a bujkálásnak a zeneteremben, számítógépteremben, tesiöltözőben. Kétévnyi együtt hazamenésnek, sétálva, amikor sütött a nap, buszra szállva, amikor hideg volt, Nick arcokat rajzolt az ablak párájába, én pedig elaludtam a vállán. Ennek az egésznek vége.

Általában beszélünk ezekről a dolgokról – dolgokról, amiktől szomorúak leszünk, vagy bosszúsak, esetleg dühösek –, de Nick igazán izgatott az egyetem miatt, szóval nem akarok elkezdeni panaszkodni, vagy rossz érzést kelteni benne. Az isten szerelmére, több mint elégszer tettem már ezt életem során! Csak... Én vagyok az, aki hátramarad, ami elég szar, igazán.

Felnézünk, amikor meghallunk egy kis kattanást és egy hangos nevetést. Megfordulunk, Harry jókedvűen tartja felénk Nick fényképezőgépét.

– Ez olyan rohadtul romantikus! Nem hiszem el, hogy új párt kell találnom az egyetemen, akit cseszegethetek.

Nick visszaszerzi a fényképezőgépet.

– Te komolyan kizsebeltél engem?

Harry kacsint és ránevet, mielőtt újra elsétál. Nick megrázza a fejét, és visszatekercseli a fényképezőgépet.

– Istenem, ez a srác annyira *bosszantó!*

– Honnan szerezted a fényképezőt?

– Vettem. Gondoltam, jó lenne néhány valódi, kézzelfogható kép, amit kitehetnék az albiban a falamra, a telefonomon lévő béna fotók helyett.

Kiveszem a gépet a kezéből, és csinálok róla egy képet.

– Hé! – veszi vissza vigyorogva. – Nem akarok csak *magamról* fotókat! Mindenki azt fogja gondolni, hogy el vagyok szállva magamtól.

Én is mosolygok.

– Akkor ez az enyém lesz.

Nick körém fonja a karját.

– Oké, legalább egy közös képre szükségünk van, amin kibaszottul *normálisan* nézünk ki.

Feltartja a fényképezőgépet előttünk, a lencse velünk szemben, én pedig azt mondom:

– Legyünk őszinték, sosem nézünk ki normálisan.

És Nick nevet rajtam, míg meggyőződöm róla, hogy a hajam nem művel semmi furcsát, aztán mindketten mosolygunk, és elkészíti a képet.

– Arra számítok, hogy ezt bekeretezve látom viszont, amikor meglátogatlak az egyetemen – mondom.

– Csak ha veszel nekem egy keretet. Ki kell fizetnem a lakbért.

– Istenem, szerezz munkát!

– Mi?! Úgy érted, nem fogsz nekem dolgokat venni most, hogy van állásod? Ezt nem hiszem el! Miért is vagyok még ebben a kapcsolatban?

– Nem is tudom, Nick. Miért vagy még mindig itt? Már több mint két éve.

Nick csak nevet, és gyorsan megpuszilja az arcomat, aztán elkezd hátrálni az italokkal teli asztal felé.

– Mert jó rád nézni.

Felmutatom neki a középső ujjam.

Amikor járni kezdtünk, egy ideig nem mondtuk el az embereknek. Nem igazán tudtuk, hogyan reagálnának ránk, szóval biztonságosabb volt visszafogottnak lenni. Nem volt még nyíltan meleg pár az iskolánkban, nos, amennyire tudtuk, *soha,* és engem egy csomót zaklattak, amikor előbújtam. Így nem fogtuk egymás kezét. Nem flörtöltünk, amikor mások voltak körülöttünk. Néha még attól is kínosan éreztem magam, ha *beszéltem* hozzá az iskolában, hátha valaki rájön, és újra elkezd piszkálni. Vagy ami rosszabb, *Nicket* is elkezdik piszkálni.

Mostanság nem kell félnünk itt. Megfoghatom a kezét, amikor csak akarom.

Nick

Szóval, lehet, hogy sírtam, amikor utoljára kicsengettek. De csak egy kicsikét.

Nem voltam annyira szörnyű, mint Harry. Ő kisírta a két szemét, és mindenkit megölelt, beleértve néhány ijedt kinézetű hetedikest is, aki csak el akarta érni a buszát.

Annak ellenére, hogy nem ma láttam utoljára a barátaimat, ez mégis szomorú. Soha többé nem viseljük az egyenruhánkat, nincs több métajáték ebédidőben a pályán, kekszezés a társalgóban a szerdai ötödik óra végén.

Nincs több Charlie-val lógás az iskolában.

Azt hiszem, van néhány dolog, ami miatt egy kicsit nyugtalan vagyok. Valószínűleg ezek közül a legfőbb az, hogy újra előbújjak biszexuálisként. Úgy értem, egyébként is minden második nap elő kell bújnom valakinek, de az új egyetemi barátok rengeteg új embert jelentenek, akik valószínűleg azt fogják feltételezni, hogy heteró vagyok. Az otthonomat elhagyni is ijesztő lesz. Egy kicsit aggódom amiatt, hogy az anyukám állandóan egyedül lesz.

És megint csak itt van Charlie itt hagyása.

Mégis rengeteg jó dolog van abban, hogy vége a középiskolának. Istenem, annyira készen állok az egyetemre, akkor csinálni a saját dolgaimat, amikor akarom, olyan dolgokat tanulni, amik valóban *érdekelnek!* Végre kiszabadulni ebből a nyomott kis városból, saját lakásban élni, megvenni a saját ennivalómat, eldönteni, hogy mivel töltöm az időmet.

Ez ijesztő. És rengeteg dolog fog hiányozni. De készen állok rá, hogy elmenjek.

– Harry tudni akarja, hogy ott leszünk-e a holnapi végzősök partiján – mondja Charlie az autóm anyósüléséről, és átgörget valamit a telefonján. Az emberek, akiket ismerünk, mostanság általában Charlie-nak üzennek, ha beszélni akarnak bármelyikünkkel, mert én borzalmas vagyok az üzenetek megválaszolásában. Ő sokkal szervezettebb, mint én.

– Nos, még mindig benne vagyok, ha te is – felelem, miközben kikanyarodom az autóval az iskola parkolójából.

– Igen, valószínűleg el kellene mennünk, mivel a bál szar lesz.

– Jogos.

Kényelmes csendben ülünk a házunkig vezető úton. Charlie kikapja a napszemüvegét az ajtón lévő rekeszből, és felteszi, aztán bekapcsolja a rádiót, és folytatja a telefonja nézegetését, valószínűleg a Tumblrt pörgeti, a térde felhúzva, a lába pedig az ülésen. Őszintén szólva, ez egy gyönyörű nap. Tiszta kék az ég, mindenütt tükröződik a város ablakairól és az autókról. Leengedem az ablakot, és felhangosítom a rádiót, aztán előveszem a zsebemből az egyszer használatos fényképezőgépet, és gyorsan csinálok egy képet Charlie-ról. Az arca ragyog a napfényben, sötét haját fújja a szél, a teste összegömbölyödött az anyósülésen.

Azonnal rám néz, de mosolyog.

– *Nick!*

Vigyorgok, és visszanézek az útra.

– Ne törődj velem.

– Legalább figyelmeztess!

– Úgy nem olyan vicces.

Számunkra az a normális, hogy iskola után egyikünk házába megyünk. Többnyire az én otthonomban töltünk több időt. Mivel az anyukám általában dolgozik, a bátyámnak pedig most már saját lakása van, miénk a ház. Az elmúlt néhány hónapban a szüleink megengedték, hogy néha egymásnál aludjunk, még akkor is, ha másnap suliba kell menni. Az én anyukámat sosem zavarja, de Charlie szülei szigorúak, és Charlie úgy gondolja, ha hetente néhány alkalomnál többször kérné, akkor elkezdenének nemet mondani.

Megértjük, hogy ez nem *átlagos*. Úgy gondoljuk, hogy a szüleink is látják, hogy ez nem normális. Mármint, ne érts félre, nekik nincs bajuk ezzel, de… a normális tinédzserpárok nem alszanak egymás házában, ha másnap suli, ugye? Ők nem töltenek minden egyes napot egymással, igaz? Nem tudom.

Nem izgat minket.

★

Én meg Charlie a következő dolgokat csináljuk együtt otthon:

Videójátékozás. Tévé- és filmnézés. YouTube-videók nézése. Házi feladat. Házi dolgozat. Tanulás. Szundikálás. Csókolózás. Szex. Ugyanabban a szobában ülés különböző laptopoknál, csendben. Társasozás. Ételkészítés. Italok készítése. Piálás. Koncertekre való utazások tervezése. Vakáció tervezése. Párnaerődök építése. Szex egy párnaerődben (oké, ez csak egyszer történt meg, de megtörtént, esküszöm!). Játék a kutyáimmal, Henryvel és Nellie-vel. Segíteni Charlie öccsének, Olivernek a különböző Lego-projektekkel. Beszélgetés. Vitatkozás. Kiabálás. Sírás. Nevetés. Ölelkezés. Alvás. SMS küldése egymásnak különböző szobákból. Charlie gyakorol a dobszettjén, lejátszási listákat készít, könyveket olvas. Én fotókat készítek a telefonommal, Charlie-ra rajzolok, amikor nem figyel, olyan ételeket készítek, amiket egyikünk sem próbált ki még azelőtt.

Elég nyugis az egész. Talán egy kicsit unalmas is. De őszintén szólva, ez mindkettőnknek megfelel.

Ma sincs másképp. Bemegyünk, szerzünk innivalót, és átöltözöm melegítőnadrágba meg pulóverbe. Charlie felveszi a farmert és a pólót, amit tegnap hagyott itt, aztán eldől az ágyamon, kinyújtózik hason, és felnyitja a laptopomat.

– Akarsz valami kaját? – kérdezem, miközben a földszintre indulok.

Iskola után mindig megkérdezem ezt tőle. Charlie-nak elég súlyos anorexiája volt abban az évben, amikor járni kezdtünk. Néhány hónapra a pszichiátriára kellett mennie, és ez tényleg segített, de azt hiszem, még mindig megvan neki. Az ilyen dolgok nem tűnnek el villámgyorsan. De közel sem annyira rossz, mint régen, és sok más szempontból is jobb. Általában most már rendben van a főétkezésekkel, még ha nem is nassol, nos, soha.

– Nem, köszi – mondja, mint általában.

Azért mindig megkérdezem. Úgy gondolom, talán egy nap igent mond majd, ha elég kitartó vagyok.

Miután benyomtam két szelet pirítóst és egy pohár limonádét, visszatérek az emeletre, ahol azon kapom Charlie-t, hogy a laptop képernyőjét méregeti összeráncolt homlokkal.

CUPP
CUPP
VAU
VAU
GLUGY
GLUGY
GÉPEL
GÉPEL
GÉPEL
Z
Z
Z

Lehuppanok mellé az ágyamra.

– Mi a helyzet?

Rám pillant, aztán visszafordul a laptophoz, mielőtt rákattint valamire.

– Semmi. Csak olvastam valamit a Tumblrön.

Nincs Tumblröm, annak ellenére, hogy Charlie sokszor megpróbált rávenni, hogy regisztráljak. Nem igazán hiszem, hogy az én világom lenne.

Charlie a hátára gördül, hogy helyet csináljon nekem, és elővesz a telefonját. Lefekszem mellé, és magamhoz húzom a laptopot. Már kilépett a Tumblrből, szóval valószínűleg nem olyan dolog volt, ami érdekelt volna.

Egy másik lapon található az az oldal, amit ma reggel kezdtem el olvasni a Leedsi Egyetem rögbicsapatáról, amihez megpróbálok csatlakozni, amikor ott leszek, már ha elég jó vagyok.

Oda megyek szeptemberben: a Leedsi Egyetemre. Elég messze van; nos, háromszázhúsz kilométer vagy mi, és én meg Charlie nyilvánvalóan beszéltünk arról, hogy távkapcsolatban leszünk. Bár ez nem ideális, és közel sem annyira nagyszerű, mint az, ahogyan jelenleg mindennap együtt lógunk, mindkettőnknek teljesen megfelel. Charlie-nak most van egy részmunkaidős állása egy kávézóban, szóval úgy számol, hogy néhány hetente el tud majd jönni hozzám vonattal, és én is néhány hetente vissza tudok jönni. Ez azt jelenti, hogy minden bizonnyal legalább kéthetente látni fogjuk egymást, ha nem többször. És úgyis sokat fogunk SMS-ezni, telefonálni és facetime-ozni.

Elkezdek mesélni mindenfélét Charlie-nak a Leeds rögbicsapatával kapcsolatban: hány szint van az egyetemen, és hogy szerintem sikerül-e bejutnom (őszintén mondom, úgy gondolom, igazán jó vagyok a rögbiben), mennyibe kerül az edzőtermi tagságuk, és hogy vajon sikerül-e valahol munkát találnom, amikor ott leszek, megéri-e megpróbálkozni a sportösztöndíj megszerzésével, hogy tényleg szar leszek-e mindenki máshoz képest, és milyen szép a mezük (zöld és fehér).

Charlie még mindig a hátán fekszik, és figyel, feltesz néhány kérdést, de miután egy ideje fecsegek, látom, hogy kezd unatkozni, mert elcsendesedik, és babrálni kezd a pulóverem ujjával. Aztán amikor egy mondat közepén tartok, az oldalára fordul, és a tarkómnál fogva lehúz egy csókra. Ez meglep, mert már rég túl vagyunk azon a szakaszon, hogy mindig csókolóznunk kell, amikor kettesben vagyunk.

Néhány másodperc múlva vissza akarok húzódni, de ő csak még lejjebb húz. Az ajkára nevetek, és érzem, hogy ő is mosolyog, de egyikünk sem áll le, és körülbelül egy perc múlva ösztönösen a hajába túrok. Ez egy kicsit furcsa napszak arra, hogy ezt csináljuk, de nehéz ezzel foglalkozni, különösen akkor, amikor előredől, és így rajtam fekszik.

– Valami másról akartál volna beszélni? – mormolom azon tűnődve, hogy honnan jött ez az egész. Hátrasöpröm a haját a homlokából. Alighanem odavagyok Charlie hajáért.

Találkozik a tekintetünk. Aztán felül, hátradől, és bekapcsolja a rádiót. A The Vaccines szól. Visszafordul, lehajtja a fejét, és azt mondja:

– Nem igazán.

Aztán az ajka az enyémen van.

Charlie

Az van, hogy gyűlölöm hallgatni, ahogyan Nick az egyetemről beszél.

Szörnyű ember vagyok.

Nevetségesen izgatott amiatt, hogy egyetemre megy. És annak is kell lennie. Örülök, hogy az.

De az utóbbi időben *állandóan* erről van szó. És minden egyes alkalom, amikor megemlíti, csak arra emlékeztet, hogy közeledünk ennek a végéhez. Hogy jön a szeptember, és itt fog hagyni.

Tulajdonképpen berezeltem.

Az emberek is állandóan erről üzengetnek nekem Tumblrön, és egyáltalán nem segítenek. Elég sok követőm van Tumblrön, és közülük sokan érdeklődnek Nick és irántam. Mármint *igazán* érdeklődnek. Tulajdonképpen ez egy kicsit hátborzongató.

Szóval amint megemlítettem, hogy szeptembertől távkapcsolatban leszünk, elárasztottak a Tumblrön azzal, hogy fel kéne készülnöm az összes szörnyű dologra, ami a távkapcsolatokkal jár. És felhúztak engem. Néhány napja már nem válaszolgatok nekik, de még mindig küldik az üzeneteket. Sosem fogom megérteni, miért érdekli ez az embereket annyira, hogy üzenetek küldésével vesződjenek.

Szerencsére Nick a nap hátralévő részében nem említi az egyetemet, sem akkor, amikor sétálni visszük a kutyáit, sem vacsora közben, sem akkor, amikor *A nyolcadik utas: a Halált* nézzük. Tíz körül elmegy zuhanyozni, és én megint megnézem a beérkező üzeneteket, és most *még több* van.

Névtelen mondta:
Beszéltetek Nickkel arról hogy milyen lesz, amikor elmegy? Nagyon sok párt ismerek akik megpróbálták hogy működjön amikor egyikük egyetemre ment és végül mind szakítottak. Tényleg legalább beszélned kéne vele erről.

Névtelen mondta:
nem furcsa h ilyen régóta együtt vagytok??? Mmint 14 évesen még korai belevágni egy kapcsolatba. Nem szabad úgy éreznéd h örökre az első kapcsolatodban kell maradnod...

Névtelen mondta:
Haver, a távkapcsolat sosem működik, higgy nekem jobb ha most vége és megvéded magad a fájdalomtól

Névtelen mondta:
Mindenkinek szingliként kéne mennie az egyetemre!! Az egyetemi évek a legszexisebb évek!! Annyi emberrel kell összejönnöd, amennyivel csak tudsz!!!!

KATT

Nem akarom ezt felhozni Nicknek, mert nem akarom, hogy rosszul érezze magát, amiért egyetemre megy. Teljesen igaza van, hogy izgatott emiatt.

Az nem számít, ahogy én érzek az egésszel kapcsolatban.

Nick csak egy rövid pizsamanadrágban jön vissza a fürdőszobából, a haját dörzsölgeti egy törülközővel.

– Mi a helyzet?

– Tessék?

– Megint ráncoltad a homlokod.

Gyorsan bezárom a Tumblr appot.

– Tényleg?

Átsétál a tükörhöz, és felveszi a hajszárítóját.

– Ja.

– Talán csak ilyen az arcom.

– Nem, az arcod általában sokkal szebb.

Egy párnát dobok felé, de oldalra lép egyet, hogy kikerülje, és nevet.

Nem beszélhetek neki erről. Szörnyen érezné magát. Éppen elég rossz érzése volt már nekem köszönhetően. Már így is én vagyok a legbosszantóbb barát a világtörténelemben a mentális problémáimmal.

– Gyere, csinálj egy szelfit velem – mondom. – Fel akarom bosszantani a Tumblr követőimet.

Nick vigyorog, és leteszi a hajszárítót.

– Miért bosszantaná ez fel őket?

– A szelfik mindenkit felbosszantanak.

– Olyan passzív-agresszív vagy! – Odasétál az ágyhoz, és lehuppan mellém.

Megnyitom a fényképezőt a telefonomon, és mielőtt esélye lenne bármit is mondani ezzel kapcsolatban, egy puszit nyomok az arcára, és így készítem el a fotót.

Nick ismét nevet.

– Ó, ezt most az internetre csinálod, ugye?

Köré fonom a karomat.

– Tudod, hogy ez az, amit mind akarnak.

– Legalább hadd igazítsam meg a hajamat.

– Jól néz ki, amikor nedves.

Egymáséhoz támasztjuk a fejünket, az egyik kezemmel csinálok egy béke jelet, és készítek egy újabb képet. Aztán csinálok egyet magunkról, ahogy igaziból csókolózunk, de ezt nem teszem ki a Tumblrre. Néhány dolog szebb, ha csak nekünk szól.

Nick

Másnap reggel Charlie telefonos ébresztőjére riadok fel. Mindig idegesítő, figyelmen kívül hagyhatatlan pityegő hangra állítja, nem pedig zenére, mint én. Ennek ellenére Charlie mellett felébredni határozottan jobb, mint az ébredés bármilyen más módja. Nem igazán tudom, miért. Az ágyam mindig olyan hidegnek tűnik, ha nincs itt.

Charlie még mindig ragaszkodik hozzá, hogy ma iskolába kell mennie, mert otthon nem tud tanulni, szóval felkelt engem reggel hétkor, hogy fuvarozzam el. Habár bemehetnék az iskolába tanulni, az ötlet, hogy a tanulmányi szabadságom első napján tanulni próbáljak, arra késztet, hogy elégessem az összes jegyzetemet. És amúgy is mindketten szarok vagyunk az iskolai feladatok elvégzésében, amikor együtt vagyunk.

Kinyitom a szemem, és látom, hogy megmoccan. A függöny résén keresztül egy napsugárcsík hull a mellkasára, és még félálomban is késztetést érzek arra, hogy lefotózzam. Aztán eszembe jut, hogy egyébként készítettem már róla egy alvós képet múlt éjszaka, amikor összekuporodva találtam őt az ágyamban, miután kimentem egy pohár vízért. És ezzel elfogyott a fényképezőgépből a film.

Charlie megfordul, hogy kinyomja az ébresztőt, majd át akar mászni rajtam, hogy felkeljen az ágyból – az ágyam a fal mellé van tolva –, de amint nekiindul, a kezem a dereka köré csúsztatom, és magamra húzom őt. Meglepett hangot ad ki, aztán nevet, a hangja még mindig álmos.

– Le kell zuhanyoznom…

– Nem, maradj itt.

– Nem lehet, újra vissza fogok aludni.

– Ne menj iskolába!

– Nick!

– Maradj itt velem!

– Nem tudok, nekem… Nekem tanulnom kell.

– Mm, rendben. – Ellazítom a két karomat, így Charlie kibirkózhatja magát közülük. Amint elment, az ágyam megint hidegnek és üresnek tűnik. Ez tényleg eléggé butaság. A legtöbbször egyedül alszom.

KETTŐ

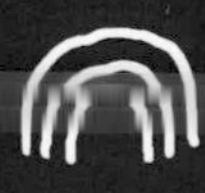

Charlie

Valahogy reméltem, hogy Nick esetleg megérzi, hogy hogyan érzem magam. Általában nagyon jó ebben; mármint valójában *hátborzongatóan* jó. És én nem vagyok valami körmönfont, amikor megpróbálom rávenni, hogy ne beszéljen az egyetemről. De a harmadik órában, miután írtam Nicknek, hogy lássam, vajon felébredt-e (azt mondta, hogy miután eldob engem az iskolába, visszabújik az ágyba), elkezdődik az izgatott szövegözön.

Nick Nelson
(11:34) Hamarosan el kéne mennünk egyetemi shoppingolásra!!! Furcsa, hogy izgatott vagyok a konyhai eszközök vásárlása miatt?

Nick Nelson
(12:02) Szted kéne e-mailt írnom hogy ellenőrizzem vajon kétszemélyes ágyam lesz-e?? Mármint honnan tudják az emberek hogy milyen lepedőt vásároljanak?

(12:05) Jobb lenne egy kétszemélyes ágy lol a te ágyad elég szar

Nick Nelson

(12:46) Szted el kéne vinnem az xboxomat vagy az túl antiszociális? Szükségem van arra, hogy az emberek kedveljenek

Nick Nelson

(12:54) Kaleem az iskolában van?? Ha igen, meg tudod kérdezni tőle, hogy tud-e valamit az ágyakról?

Nick Nelson

(13:15) Sokkal jobban érdekel a lakberendezés mint gondoltam. Az ikea honlapja örökre elnyelhet

Az összes üzenetére válaszolok, és igazán megpróbálok lelkes lenni, de tisztában vagyok vele, hogy az SMS-eim kissé élettelennek hangzanak. Ám úgy tűnik, Nick nem veszi észre. Továbbra is csak az egyetemről ír nekem, és a szobájába vásárlandó dolgokról, meg a modulokról, amikről úgy gondolja, hogy fel akarja venni őket, és mindenféle egyéb dologról, amitől percről percre szörnyebben érzem magam.

Korábban beszéltünk erről. Valójában elég régen, még akkor, amikor Nick múlt nyáron végiglátogatta az egyetemeket, és amikor ősszel jelentkezett rájuk. Bevallottam, hogy nagyon aggódom amiatt, hogy elmegy. Elmondtam, hogy félek attól, hogy mindig egyedül leszek. Zavarba ejtő volt, igazán. Ostoba dolog. *Félek egyedül lenni.* Úgy hangzott, mintha hároméves lennék.

Nick nyilvánvalóan megnyugtatott, hogy mindennek ellenére állandóan beszélni fogunk, és minden rendben lesz. Azóta nem beszélgettünk erről többet, de csak mert nem nagyon lehet többet mondani a témáról.

Minden rendben lesz.

A társalgóban ülök, a Muse *Origin of Symmetry* albumát hallgatom végtelenítve, és a klasszikusok átismétlésére koncentrálok, megpróbálok memorizálni néhány latin kifejezést, és ráveszem Aledet, az egyetlen barátomat, aki ma az iskolában van, hogy időnként kérdezzen ki. Csak abba kell hagynom, hogy ezen agyaljak. Minden rendben van. A semmiért aggódom.

Ebéd után, azt követően, hogy harmadszorra felejtem el, mit jelent a „latrocinium", Aled leteszi a tanulókártya-paklimat, és rám néz. Aled Lastnek nincs túl sok barátja – ő extrém módon félénk, így nem sok ember próbál beszélgetni vele –, de én azt mondanám, hogy ő és Tao a két legjobb barátom.

– Uh, sajnálom – mondom azonnal. – Hűha, még több ismétlésre van szükségem. Istenem!

Aled rám pislog, aztán kipillant az ablakon. Egy újabb módfelett napsütéses nap. Valószínűleg az ágyban kellett volna maradnom Nickkel ma reggel.

– Talán most abba kéne hagynunk az ismétlést – mondja vékonyka hangján. Kuncog, és lenéz a saját jegyzeteire: színpompás matematikai tanulókártyák. – Nem mintha egyébként sokat tanultam volna.

– Ja, szintúgy, haha.

– De rendben vagy? – kérdezi. – Úgy érzem, nagyon a padlón vagy ma.

Megdermedek, egy kicsit meg vagyok lepve.

– Ó… Igen. Nem. Jól vagyok.

– Igen? – Az ujjaival babrál, és rám néz.

– Igen. Nem tudom. Csak Nick egy csomót beszél az egyetemről, ettől… hát egy kicsit szarul érzem magam… Nem tudom – nyögök fel, és az egyik kezemet végigfuttatom a hajamon. – Ez olyan rosszul hangzik, amikor hangosan kimondom.

– Nem, jogodban áll, hogy érezz dolgokat – mosolyog. – Megértem.

– De ez nem igazán fair vele szemben; mármint joga van izgatottnak lenni.

– Talán beszélned kéne vele erről. Már beszéltetek a távkapcsolatról és egyebekről, igaz?

– Igen, beszéltünk róla… Csak úgy gondolom, nem vette észre, hogy ez mennyire… – Nem igazán tudom, hogyan fejezzem be a mondatot. Megrázom a fejem. – Ettől viszont nagyon rosszul fogja érezni magát. Nem akarom, hogy ne legyen többé izgatott az egyetem miatt.

– Nos… – Aled küszködik, hogy kitaláljon valami választ. Lenéz az asztalára, és a tanulókártyáival játszadozik. – Nem hiszem, hogy van bármi, ami miatt aggódnod kéne. Úgy értem, tudod, ti vagytok… ti vagytok Nick és Charlie. Nem fogtok szakítani… Nem hiszem… Úgy értem, még Elle és Tao sem szakít, pedig tudod, hogy milyenek.

Tao együtt jár Elle Argenttel, egy lánnyal Nick évfolyamáról, majdnem ugyanannyi ideje, mint amióta mi járunk Nickkel. Úgy tűnik, sokat veszekszenek, de általában csak nagyon triviális dolgok miatt, mint például, hogy mi a véleményük különböző filmekről.

– Igen.

Aled nem mond semmi mást, így felállok, és azt mondom, kimegyek a mosdóba. De nem megyek a mosdóba. Elsétálok egészen az öltözőkig csak azért, hogy az öltözősor falának támaszkodhassak. Előveszem a telefonomat, és megpróbálom kitalálni, mit mondhatnék Nicknek, találni valamilyen módszert, amivel elmondhatnám neki, mit érzek. De nincs mód rá, hogy megtegyem, úgy nem, hogy ne keltenék benne bűntudatot. És ez az utolsó dolog, amit akarok.

Inkább betöltöm a Tumblrön az üzeneteket, csak hogy megnézzem, van-e ott valami érdekes, de újra csak azt kérdezik, jól átgondoltam-e, hogyan működik a távkapcsolat, hogy tényleg megéri-e a fájdalmat, vajon Nick tényleg nem találkozgat-e majd senki mással az egyetemen, amíg nem vagyok vele állandóan. Nem akarom, hogy ezek a dolgok eluralkodjanak rajtam, de megtörténik. Egy kicsit elkezdek könnyezni, úgyhogy kilépek a Tumblrből, és törlöm az appot a telefonomról.

Rendben vagyunk. Akkor miért zaklat fel ez az egész?

Nick

Amikor Charlie 3:15-kor az autómba roskad, meg tudom mondani, hogy valami baj van. Köszönök neki, de minden, amit válaszként kapok, egy apró mordulás, és amint becsukja az ajtót, nekidől az ablaknak, és lehunyja a szemét.

Mozdulatlan maradok egy pillanatra, várom, hogy mond-e valamit. De nem teszi.

– Jól vagy?

– Mm... – mondja érzelemmentesen.

– Rossz nap?

– Mm...

Elindulok anélkül, hogy erőltetném a dolgot. Ha beszélni akar róla, megteszi. Ez az egyetlen dolog, amit megtanultam Charlie-val kapcsolatban. Ha megpróbálod rákényszeríteni, hogy olyan dolgokról beszéljen, amikről ő nem akar, még kevesebb az esélye, hogy végül elmondja neked.

Mire Charlie-ékhoz érünk, egy kicsit jobban néz ki, szóval nem hozom fel. De valami még mindig nem stimmel vele. Rendkívül nagy csendben ül a laptopjánál, amíg az anyukájával beszélgetek. Legalább egy félórát tölt azzal, hogy kiválassza, mit vegyen fel Harry partijára, annak ellenére, hogy ugyanolyan farmert és kockás inget visel mindig. A szokásosnál lényegesen tovább tart neki megvacsorázni, ami mindig egy jel arra, hogy stresszel valami miatt. Az autóban, a Harryék háza felé vezető úton a lába fel-le jár.

Talán mérges rám valamilyen oknál fogva. Ötletem sincs, miért lehet az.

Leparkolunk az út mentén, ő pedig kicsivel előttem és a nővére, Tori előtt sétál. Őt is mi hoztuk a bulira.

– Vitatkoztatok? – kérdezi Tori. – Úgy tűnik, mintha ki lenne akadva rád.

– Tudomásom szerint nem. Nem tudom, mi a baj.

– Hm... – Nem mond semmi mást.

Harry Greene egy sorházban él, közel a főutcához. A hatalmas bulijai a fő okai annak, hogy ő a leghíresebb srác a Truhamben. Tudjuk, hogy tizenegyre szinte mindenki az alagsorban lesz, és valami vacak dubstep mixre táncol majd. Éjfélre az emberek a szobanövénycserepekbe és a kinti járdára hánynak. Kettőre pedig a folyosókon alszanak, különböző szobákba szöknek be hancúrozni, és betépnek a kertben.

Valóban zene szól Harryék pincéjéből, amitől rezeg a padló, és mindenhol emberek vannak. Főleg a Truham végzősei, de kétségkívül jöttek tizedikesek, tizenegyedikesek, és emberek a város másik végén lévő középiskolából is. Azt hiszem, a terv szerint a kertben kellett volna lennünk, de elkezdett zuhogni az eső. Ennyit a nyárról.

Mihelyt bent vagyunk, és Tori eltűnik, hogy megkeresse a barátait, Charlie gyors léptekkel a konyha felé indul innivalóért. A konyhaasztal, mint várható volt, üvegekkel és műanyag poharakkal van tele, és amint odaérünk, Charlie felhajt egy adag vodkát, majd még egyet. Azt hiszem, talán ez az a pont, ahol voltaképpen mondanom kéne valamit.

Megérintem a karját.

– Hé…

Rám néz, és belekortyol a vodkás limonádéba, amit épp most készített.

– Hm?

– Jól vagy?

Kicsit túl lelkesen bólogat.

– Ja. Jól. Miért?

Megrázom a fejemet.

– Csak olyan idegesnek tűnsz.

Megint félrenéz, és önt még egy csepp vodkát az italába.

– Ó! Csak... egy kicsit stresszelek a tanulás miatt... csak rossz hangulatban voltam ma...

Ez elfogadható magyarázatnak tűnik, azt hiszem. Másfelől lehet az év hazugsága is – Charlie *rengeteg* embernek hazudik. Hónapokig hazudott az iskolában az anorexiájáról. Néha hazudik a szüleinek, amikor el akar menni valahová szórakozni velem, de nem biztos benne, hogy elengedik. Hazudik Mr. Shannonnak, hogy elkerülje a népszerűtlenné válást más tanulók szemében. Legyünk igazságosak, nekem szinte soha nem hazudik, de alkalomadtán meg tudom mondani, hogy valamit csak azért mond, mert nem akar terhelni engem. Azt hiszem, ez is egy ilyen alkalom lehet.

Még egyet kortyol. A tekintete körbejár a helyiségben.

– Best Coast – mondja.

– Mi?

– A zene. Ez a Best Coast.

Még csak észre sem vettem, hogy itt bent szól a zene. Próbálom kitalálni, mit mondjak, de megelőz engem.

– Innunk kellene.

– Én vezetek – kuncogok fel.

– Ó!

– Berúgsz.

– Azt tervezem.

– Nem gondolod, hogy először szocializálódnunk kellene?

Önt egy pohár limonádét, és odaadja nekem.

– Mm, rendben.

Közelebb lép hozzám, olyan közel, hogy szinte azt hiszem, meg fog csókolni itt, a körülöttünk beszélgető és iszogató emberek előtt. De ehelyett csak rám néz a sötét haja alól, jeges szemekkel, enyhén vigyorogva, az egyik arcán incselkedő gödröcskével – íme, mindaz,

ami miatt alapból vonzódom hozzá. Részben zavarodott, részben rendkívül izgatott vagyok.

– Nick – mondja olyan halkan és szelíden, hogy valószínűleg nem hallottam volna, ha nem bámulom az ajkát.

Idegesen felnevetek, érzem, hogy az arcom felforrósodik, de nem igazán tudom, mit mondjak. Nem fogjuk vissza magunkat attól, hogy kimutassuk a szeretetünket nyilvánosan, de soha nem vagyunk *ilyenek,* ha más emberek a közelben vannak. Mit próbál ezzel elérni?

– Később részegen hancúrozni akarok a mosdóban – mormolja, aztán elsétál, mielőtt esélyem lenne válaszolni neki.

Charlie

Tisztában vagyok vele, hogy a Nick egyetemre menésével kapcsolatos érzéseim ellen azzal küzdök, hogy a) nem vagyok hajlandó beszélni róla, b) olyan durván flörtölök vele, hogy az valójában zavarba ejtő, de őszintén, baromi közel állok ahhoz, hogy behúzzak a következő embernek, aki még egyszer kiejti a száján azt, hogy „egyetem". Még soha életemben nem ütöttem meg senkit, de sosem késő elkezdeni.

Ó, és c) berúgok.

Nagyon berúgok.

Nem kell sok ahhoz, hogy részeg legyek, ami szerfelett hasznos az olyan helyzetekben, mint ez, ahol végzősök vannak mindenhol, és senki nem fogja be a száját az iskola elhagyásával, a bállal, a nyárral és az egyetemmel kapcsolatban, és én csak *haza akarok menni.*

Távol maradok Nicktől, amennyire csak lehetséges, mert az a legrosszabb az egészben, ha hallgatnom kell, ahogyan erről beszél.

Szörnyű ember vagyok.

Most tizenegy óra van, és fogalmam sincs, hány vodkás limonádét ittam, és kénytelen vagyok itt ülni egy karosszékben Tao mellett a télikertben, mert felállni meglehetősen nehéznek bizonyul ebben a pillanatban. Nem igazán van elég hely mindkettőnknek a széken, és a lábam valahogy elzsibbad, mert Tao egy kicsit rajta ül, de túlságosan belemerült a beszédbe valamiről, nem tudom, nem igazán figyelek...

– Te és Nick beszéltetek erről? – kérdezi kizökkentve a kábulatból, de még mindig olyan, mintha vatta lenne a fülemben, és semmi sem valóságos, ami történik.

– Mi? Nem figyeltem.

Tao rám vigyorog. Mindig jobban hasonlít a különc önmagára, amikor az iskolán kívül vagyunk. Ma este csíkos inget visel, amit valószínűleg egy üzletembernek szántak, felhajtott, zöld nadrággal és a jellegzetes piros sapkájával. Nyilvánvalóan azt hiszi, hogy egy Wes Anderson-filmben él.

Körém fonja a karját, és a fejét az enyémnek támasztja.

– Jaj, imádom, hogy mennyire nem bírod a piát! Örülök, hogy mi nem fejezzük be idén az iskolát.

– Ha még egy ember megemlíti az iskola befejezését, tök komolyan sírni fogok!

Megveregeti az arcomat.

– Jól van, jól van. Minden rendben lesz. Ti vagytok Nick és Charlie, nem igaz?

– Nem tudom, mit jelent ez – mondom.

Nick

Mindenki az egyetemről beszél.

Nem hiszem, hogy valaha is ennyire izgatott voltam valami miatt, vagy ennyire *készen álltam*. És úgy tűnik, mindenki más is így van vele, aki egyetemre megy. Ez a szabadság kezdete. Azért csinálni dolgokat, mert úgy *döntöttünk,* hogy megtesszük. Végre felnőttként.

Azonban felfogtam, hogy nos, Charlie talán nem akar erről beszélni állandóan. Úgy értem, neki még hátravan egy éve az iskolából.

De tizenegy felé jár, és Charlie kétségkívül kerül engem. Rendszerint össze vagyunk nőve a bulikon, és tekintettel arra, hogyan viselkedett korábban… nos, egy kicsit össze vagyok zavarodva, hogy őszinte legyek.

Egy karosszékbe kuporodva találom őt a barátjával, Taóval. Köszönök neki, udvariaskodunk, de látom, hogy Charlie engem bámul. Leguggolok a karosszék mellé, így a tekintetünk egy vonalba kerül. Az övé fókuszálatlan, és egy csomót pislog: totál részeg. Hát jó.

– Jól vagy?

– Jól vagyok! – csattan fel egy ideges vigyorral. – Istenem, nem szükséges minden másodpercben ellenőrizned, Jézus Krisztus!

Érzem, ahogy hátrahőkölök. Charlie nem üvöltött így le hónapok óta. Mi a fenét csináltam?

Újra felállok.

– Rendben. Oké. Nem szükséges kiabálnod velem.

Félrenéz.

– Nem kiabáltam.

– Ja. – Megfordulok, és elhagyom a télikertet, de nem elég gyorsan, hogy ne halljam, ahogy Tao azt kérdezi Charlie-tól:

– Mi folyik itt?

Charlie

Éjfél van, és az alagsorban vagyok, ahová szinte mindenki táncolni jött. Reméltem, hogy a dübörgő dubstep, valami gagyi Daft Punk-dal remixe elnyomja a zúgást az agyamban, de nem. Nem tudok nem gondolni arra, hogy egy szardarab vagyok, a legrosszabb barát az egész univerzumban. A falnak dőlök, de végül lecsúszom a földre, az összes táncos elhomályosul előttem Harry villogó fényfüzére alatt. Miért vagyok ilyen furcsa és dühös? Miért vagyok ilyen?

– Charlie! – kiált valaki, a hangja átvág a zenén. Nem Nick az. Felnézek, és Aled bámul félszegen a bordó pulóverében. Leguggol mellém. – Jól vagy?

Nyelek egyet, olyan közel vagyok ahhoz, hogy nemet mondjak. Nem, röhejes vagyok, nevetségesen nem vagyok jól.

– Igen, igen, jól vagyok.

– Nem nézel ki jól – ráncolja Aled a homlokát. – Ez… Elle és Tao miatt van?

Talán most csak hallucinálom a beszélgetéseket, talán az agyam csak random szavakat fűz egymás mellé.

– Mi? Hogy érted?

– Én csak gondoltam... tudod... amit tegnap mondtam Elle-ről és Taóról... mármint... hülyeség volt, nagyon rosszul érzem magam...

Megrázom a fejemet, nevetni akarok.

– Mi a faszról beszélsz, Aled?

– Tudod... Elle és Tao szakítanak.

Ellököm magam a faltól.

– *Mi?*

Aled szeme elkerekedik.

– Ó, ó, istenem, azt hittem, hogy már tudod. Úgy döntöttek, hogy a nyár végén szakítanak, én csak hallottam...

Rábámulok.

– *Mi?*

Aled lesüti a szemét.

– Igen... Tao csak annyit mondott, hogy *ja, továbbra is járunk, míg Elle el nem megy, de úgy gondoljuk, hogy a távkapcsolat túl nehéz lenne.*

– De Tao nem mondta nekem... Beszéltem vele korábban... Én nem...

Aled semmit sem szól.

Kinyitom a szám, hogy mondjak valamit, de semmi sem jön ki rajta. Miért vetne véget bárki egy párkapcsolatnak, csak mert egy kicsit távkapcsolatban kell élnie? Elle és Tao nyilvánvalóan nagyon kedvelik egymást. Ezer éve epekedtek egymás után, mielőtt randizni kezdtek volna.

Miért tenné ezt bárki?

Nick és én nem fogunk ilyet tenni. Nick úgy gondolja, a távkapcsolat rendben lesz. Nem akar szakítani velem.

Ugye?

Szakítani akar velem?

– Ó, istenem, Charlie, mi van… – Aled beszélni kezd, mert sírva fakadok. Nagyszerű!

– Sajnálom… – mondom, de a hangom határozottan nem hallható a fülsiketítő zenén keresztül, és különben sem vagyok biztos benne, hogy kinek szól a bocsánatkérés. – Sajnálom… Annyira sajnálom…

Nick

Mivel egy félórája nem láttam Charlie-t, azt hiszem, most már itt lenne az ideje, hogy újra megkeressem, még akkor is, ha morcos velem. De mi a problémája? Valójában most már kezd felhúzni egy kicsit. Nem tettem semmi olyat, ami miatt morcosnak kellene lennie.

Az alagsorban találom meg, csak üldögél a sarokban a barátjával, Aleddel. Szóval átvágok hozzá, remélve, hogy a bizarr, rossz hangulata elszállt, de amint átgázolok a táncoló tömegen, és egyre közelebb és közelebb érek, kezdek rádöbbenni, hogy az arca nedves: *sírt*. És ez az a pillanat, amikor elkezdek komolyan aggódni. Határozottan valami baj van.

Letérdelek mellé, Aled pedig amolyan pánikba esett tekintettel néz rám, mintha nem tudná, mit csináljon. Charlie felém fordítja a fejét, és még részegebb, mint korábban, ha ez egyáltalán lehetséges. Nem csoda, hogy a padlón ücsörög az alagsorban.

– Mi a baj? – kiabálok át a zenén.

Nevet, de hamisnak tűnik. Az egész teljesen hamis.

– Megint az egyetemről fogsz beszélni?

– Mi?

– Annyira idegesít, Nick!

Rásandítok, és azt kérdezem:

– Idegesít? – De csak motyog valamit, én pedig nem hallom jól.

Aztán maga felé húz az egyik karomnál fogva, és megcsókol.

Gyorsan rájövök, hogy a részeg csókolózás nem olyan mókás, amikor az egyik ember józan: érzem az arca nyirkosságát, és alkoholíze van. Eltart néhány másodpercig, míg tényleg felfogom, mi történik, ez alatt az idő alatt pislogok, és látom, hogy Aled döbbent, kétségbeesett pillantást vet ránk, majd feláll és elsétál.

Finoman eltolom magamtól Charlie-t.

– Nem. Részeg vagy.

– *Niiiick*... – Megpróbál újra felém dőlni, de csak hátrahúzódom.

– Charlie, igazán furcsán viselkedsz.

– Nem, nem is.

– De, igen. – Felhúzom őt a karjánál fogva, így mindketten állunk. Megtántorodik, és mindkét kezével a karomba kapaszkodik. – Gyere, menjünk fel az emeletre.

Nem felel, ezért visszavezetem őt a táncolókon keresztül, vissza az emeletre, ami most majdnem üres: csaknem mindenki az alagsorban van. A télikertbe kísérem, ami, ahogyan reméltem, üres és csendes, az esőtől eltekintve, ami az üvegtetőt veri.

Ismét leültetem őt a karosszékbe, és leguggolok elé.

– Mi folyik itt?

Nem néz rám, úgy tűnik, nem is hallott engem.

– *Char*... – mondom egy kicsit hangosabban, és ezúttal összetalálkozik a pillantásunk. – Miért viselkedsz így?

– Mi?! – csattan fel, és megrázza a fejét. – Hogyan viselkedem?

– Mintha az egyik percben még komolyan dühös lennél rám, a következőben pedig már dugni akarnál velem!

Lehajol, és a tenyerébe támasztja a fejét.

– Rosszul érzem magam.

– Az isten szerelmére! – Felállok. Ez reménytelen. – Miért vagy ilyen *fasz?*

Nem mozdul.

– Csak beszélj hozzám! – mondom.

Nem felel semmit.

– Nem lehetsz mérges rám, ha még csak el sem tudod mondani, mi rosszat tettem!

Felnyög, és megrázza a fejét a kezében.

– Kibaszott élet! – mondom, nehézkesen leülök a szemben lévő kanapéra. – Nos, kibaszottul nem tudom, hogy mit csináljak akkor.

– Hagyd abba a kiabálást velem – motyogja a keze mögül.

– Nem kiabálok veled!

– De *igen.*

Csendben ülünk egy percig, amíg egy különösen hangos mennydörgés meg nem ugraszt. Charlie észreveszi, és felemeli a fejét.

– Szakíthatsz velem, ha akarsz – mondja.

Beletelik néhány másodpercbe, mire felfogom.

– Mi? – kérdezem. Újra felállok, és most már *igazán* dühösnek érzem magam. *Miről* beszél? Honnan a pokolból jött ez neki? – Mi a faszról beszélsz?

– Ha te... új kezdetet akarsz, vagy... valami... ha úgy gondolod, hogy a távkapcsolat túl nehéz... – A tekintete megint fókuszálatlan, a szavai összefolynak. A fejünk fölött villámlik, beragyogja a szobát. Miért mondja ezeket a dolgokat?

– Mi van? *Te* ezt akarod? – nevetek fel. Ez nem történhet meg. – Szakítani akarsz. Ez a helyzet?

– Én csak… azt akarom, hogy te… boldog legyél…

– Marhaság! – köpöm oda, a hangom határozottan túl hangos most.

– Elle és Tao szakítanak…

– Mi van? És akkor nekünk is szakítanunk kell? Meg sem próbálsz együtt maradni velem? – Egy részem szeretné ezt értelmesen átbeszélni, de leginkább csak tiszta harag van bennem, és nem is tudom, miért. Azt hiszem, csak belefáradtam az egészbe. Belefáradtam ebbe az egész marhaságba, az egyetemről való beszédbe, és hogy állandóan arra emlékeztessenek, csak néhány hónapom van hátra Charlie-val.

– Miért mondod nekem ezeket a dolgokat, Charlie? Ha szakítani próbálsz velem, basszus, csak nyögd már ki!

De nem akarom, hogy megtegye. Úgy érzem, mindjárt rosszul leszek. Charlie csak a fejét rázza, kifejezéstelen arccal bámul a semmibe mellettem.

– Ezért viselkedtél így? – kérdezem. – Szakítani akarsz velem, de még ahhoz sem vagy elég kibaszottul bátor, hogy kimondd? Helyette engem akarsz rákényszeríteni, hogy szakítsak veled?

Most megint sír, ide-oda rázza a fejét, a térde fel-le rángatózik. De nem mond semmit. Nem tagadja.

– Nos, akkor baszd meg! – mondom, és ekkor veszem észre, hogy én is sírok. Istenem, mikor történt ilyen utoljára?

És aztán felemeli a fejét, és teljes hangerővel ordít velem.

– Nos, *én* vagyok az, akit itt hagynak!

Valami meghatározhatatlan hely felé mutat, és a hangja elcsuklik.

– Te kibaszottul egyetemre mész, ahol rengeteg új emberrel fogsz találkozni, és én vagyok az, aki itt marad. Állandóan olyanokat mondunk, hogy *ó, minden rendben lesz majd, facetime-ozunk majd egy csomót, bla-bla-bla,* de nem lesz minden rendben, igaz? – gesztikulál vadul. A tekintete körbejár a helyiségben. – Nem lesz minden rendben. Szar lesz nekem. Itt ragadok ebben a szaros városban egymagam, de itt vagy te, úgy beszélsz erről, mintha ez volna kibaszottul a *valaha volt legjobb dolog,* és tudod, mit? Ettől szarul érzem magam. Mintha alig várnád, hogy megszabadulj tőlem, mintha alig várnád, hogy kiszabadulj innen, és itt hagyhass engem…

– Mi a fasz?! – ordítok vissza, az egyik kezemet átfuttatom a hajamon. – Mit akarsz, mit tegyek? Ne menjek egyetemre?

– *Nem!*

– Mert úgy hangzik, mintha ezt mondanád.

– Én nem…

– Kibaszottul *nincs jogod* veszekedni velem emiatt. Egy évvel idősebb vagyok nálad, szeptemberben egyetemre fogok menni. Ez már csak így megy.

Rám bámul, a szeme elkerekedik és megtelik könnyel, aztán lehajtja a fejét.

– Miért vagy ilyen?

– Haver, mi a fasz, milyen vagyok?

Charlie ismét felnéz, és amikor megmozdítja a kezét, a szeme összeszűkül.

– Ne hívj engem *havernak!* Sosem hívsz engem *havernak!*

Csak megrázom a fejem, és fortyogva fújok egyet.

– Te tényleg egy igazi faszfej vagy ma, ugye?

– Jó, akkor hagyj el! – kiabálja. Az eső durvábban zuhog, mint idáig, alig hallom őt a zajon keresztül. – Akkor húzz a picsába!

– Jó, rendben. Nem probléma.

És ennyi. Kisétálok a helyiségből.

A folyosón ott áll Tao Xu, aki valószínűleg minden szót hallott. Istenem, ez az egész az ő hibájuk Elle-lel. Először is, ha ők kibaszottul nem szakítanak, Charlie nem... nem akarna... nem is gondolt volna arra, hogy...

– Charlie jól... te jól vagy? – dadogja Tao.

– Látod, mit csináltál?! – kérdezem, miközben elmegyek mellette. – Baszd meg!

Összehúzza magát. Valami mást is akarok mondani neki, de nem jut eszembe semmi, kiürült az agyam, még mindig azt dolgozza fel, ami épp történt. *Mi a fene?* Tegnap még minden jó volt. Ez nem lehet a vége. Nem lehet ez a vége.

Átgázolok a beszélgető, mosolygó, nevetgélő emberek között a nappaliban, míg ki nem érek a házból, ki az esőbe, és mire elérem az autómat, eláztam, és reszketek. Beindítom a motort, de végül csak húsz percig ülök a kocsiban, talán mert túlságosan félek vezetni, amikor a messzeségben még mindig hallom a mennydörgést. Vagy talán mert azt remélem, hogy Charlie kirohan a házból, kinyitja az ajtót, és azt mondja, hogy minden, amit mondott, részeg zagyvaság volt. De nem teszi. Szóval csak ülök itt.

HÁROM

Charlie

Felébredek, mert a nap a szemembe süt; elfelejtettem behúzni múlt éjszaka a függönyt. Múlt éjszaka egy csomó dolgot elfelejtettem. Például tisztességes embernek lenni.

A telefonom után tapogatózom, mielőtt rájönnék, hogy még mindig a hátsó zsebemben van, én pedig még mindig az utcai ruhámban vagyok. Reggel negyed tizenegy van. Nincs SMS, nincs Facebook-üzenet, semmi. Nem akarok kimászni az ágyból, hogy átöltözzek. Nem akarok semmit sem csinálni.

Nem akarok semmit sem csinálni.

Múlt éjszaka...

Mégis mit gondoltam?

Az egész „Elle és Tao"-dolog kiborított. Hogy ennyi idő után csak úgy azt mondják: „Klassz. Igen. Szakítunk. Hát jó."

Két év után. Ők nem... Ők nem *szeretik egymást?*

Nem. Azt hiszem, nem.

És azt hiszem, elkezdtem azon gondolkozni: „Mi van, ha Nick unatkozik?"

Nem csinálunk túl sok izgalmas dolgot. Csak üldögélünk egymás házában.

Eléggé unalmas ember vagyok.

Szóval, azt hiszem, tesztelni akartam őt, ellenőrizni, vajon szakítani akar-e, de még csak ki sem tudtam mondani. El sem tudtam normálisan mondani.

Hülye.

Hülye vagyok.

Egy kibaszott hülye idióta vagyok.

Inkább ne tudtam volna meg! Inkább éltem volna tovább ebben a boldog tudatlanságban arról, mit is gondol! Inkább, mint ez az abszolút káosz. Most ötletem sincs, mi van. Csak mérges rám, vagy ténylegesen szakítani akar?

A gondolattól, hogy SMS-t küldjek neki, és kiderítsem, fizikailag rosszul érzem magam.

Vitatkoztunk már ezelőtt, de egyik sem volt annyira rossz, mint ez. Sosem ébredtünk fel úgy, hogy még mindig mérgesek voltunk egymásra. Régóta nem ébredtem ilyen szarul, másnaposan. Hányni akarok, sírni akarok, és azt az ismerős ürességet érzem, amitől azt hittem, hogy már régen megszabadultam. Ettől az érzéstől az ágyban akarok maradni, és nem akarok soha többé felkelni.

Egyszer, tizenegyedikben, néhány héttel azután, hogy kijöttem a kórházból, Nick mondott valamit, amit nem úgy gondolt, miközben ebédeltünk – valami ostoba dolgot arról, hogy nem próbálkozom elég keményen –, én pedig elkezdtem veszekedni vele, ami hatalmas vitává fajult, aminek az lett a vége, hogy elment. De még akkor is visszajött egy idő után. És aztán minden rendben volt.

Megfordulok, így nem ér a nap, és a fejemre húzom a takarót, de a madarak csiripelnek odakint, és túl hangosak, és még mindig túl világos van a szobában, szóval végül csak fekszem ott. Bárcsak visszaforgathatnám az időt! Bárcsak visszaforgathatnám az időt csütörtökig, és valahányszor a csütörtök végére érnék, újra visszapörgetném az időt a csütörtök elejére, és mindennap Nickkel lennék életem hátralévő részében.

Nem tudom elhinni, hogy egyáltalán ilyen dolgokra gondolok. Szánalmas. Olyan szánalmas vagyok.

– 'reggelt! – mondja a nővérem, Tori, amikor leroskadok mellé a nappali kanapéjára. A pizsamájában és köntösben van, és a *Koszorúslányok*at nézi egy nagy zacskó Kettle chipsszel az ölében.

– 'reggelt! Miért nézel filmet délelőtt tizenegy órakor?

– Miért ne?

– Na és a chips?

– Egy kis jutalom a tanulmányi szabadság első napjára.

– Ez a tanulmányi szabadságod második napja.

– Akkor... Ezzel jutalmazom magam a tanulmányi szabadság második napján.

Felnevetek, és nézem vele a filmet néhány percig. Nekem sosem jött be igazán, de Tori hátborzongatóan a megszállottja ennek a filmnek. Talán azért, mert a főszereplő karakter szuperszarkasztikus, akárcsak ő.

– Szóval... jól érzed magad? – fordul hozzám. – Reggeliztél?

– Kavarog a gyomrom. Egyébként is, nemsokára ebédidő.

– Hm... – Nem kommentálja. Általában Tori az elsők között próbál rávenni, hogy kajáljak, amikor nem akarok. – Mi történt Nickkel múlt éjjel? Szerencséd, hogy Beckynek ott volt az autója. És miért sírtál részegen a télikertben?

Felsóhajtok, és hátrahajtom a fejem a kanapéra.

– Muszáj beszélnünk róla?

Megvonja a vállát, és visszanéz a képernyőre.

– Nem. Gondoltam, talán szeretnél.

Csendben ülünk egy percig.

Aztán úgy döntök, elmondom neki.

Elmesélem neki az egész sztorit – nem mintha sok mesélnivaló lenne. Elmondom, hogy Nick folyton az egyetemről beszél, én pedig nagyon aggódom emiatt, hogy hallottam Elle-ről és Taóról, mire megijedtem, és olyan dolgokat mondtam, amiket nem kellett volna, Nick meg kiakadt. Minden az én hibám, mint általában.

– Jézusom! – mondja, amikor a végére érek. Rám bámul, a szemkihúzó ceruzájának a maradéka elkenődött a szeme alatt, és megállítja a filmet. – Elég durva veszekedésnek hangzik.

– Igen, nem semmi.

– De nem hiszed, hogy szakítani akar, ugye?

– Nos, nem tudom. Talán. Nem mondta, hogy *nem, nem akarok szakítani*, tudod? Ő csak... annyira mérges lett... – És aztán hirtelen megérzem a könnyeket a szememben. Felemelem a kezem, hogy eltakarjam az arcomat, és amikor beszélek, a hangom magas és bizonytalan. – Szarul érzem magam.

– Ó, Charlie! – Tori leteszi a chipsét, és egy ölelésbe húz engem, végigfuttatja az egyik kezét a hátamon. – Minden rendben.

A vállába rázom a fejem, próbálom nem összekönnyezni mindenhol a köntösét.

– Nem, nincs rendben... Ez nagyon nincs rendben...

Hagyja, hogy a vállán sírjak néhány percig, mielőtt újra megszólalna.

– Azt hiszem, beszélned kell vele.

– Nem tudom, mit mondjak – suttogom.

– Csak valamit. Bármit.

– Gyűlöl engem.

– Ez nem igaz.

– Mérges.

– Az elmúlik.

– Nem tudom, *mit* mondjak.

– Nem számít, mit mondasz – feleli. – Csak mondanod kell valamit.

Nick

Szombaton nincs semmi különös. Tíz körül felkelek. Elviszem Henryt és Nellie-t sétálni. Eszem. Pihenek. Játszom Henryvel a nappaliban. Öt órán keresztül videójátékozom. Megint eszem. Megint pihenek. Négy órán át a YouTube-on barangolok. Felfedezem, hogy elvesztettem az egyszer használatos fényképezőgépemet. Egy órát töltök azzal, hogy keresem. És aztán álomba sírom magam.

Vasárnap reggel ágyban maradok. Kezdek rájönni, hogy azért érzem magam tompának, mert sokkot kaptam. Sokkolt, hogy Charlie egyáltalán felvetette a szakítást. Azt is kezdem felfogni, hogy a sokk pánikká válik. Most pánikolok. Pánikolok, hogy a távkapcsolat tényleg nem fog működni mindezek után, hogy túl nehéz lesz. Ha Charlie-t ez már most feldúlja, még rosszabbul lesz, amikor elmegyek. De nem maradhatok itt csak azért, mert ő kiborul emiatt. Mit kellene tennem? Semmit sem tehetek. Semmit. Ez van. Charlie szakítani akar velem, mielőtt túl fájdalmas lesz. Talán végül egyébként is szakítottunk volna. Talán csak már most letudtuk.

Mi van? Nem tudom. Fogalmam sincs már, mint gondolok.

Elkezdek SMS-t írni Charlie-nak, de aztán rájövök, hogy nem tudok, mert nem tudom, mit mondjak. Nem beszélhetek vele, amíg ténylegesen meg nem értem, hogy mit érzek.

Megint elsírom magam.

Anya vasárnap délután megkérdezi, mi a baj. Elmesélem neki, hogy én és Charlie veszekedtünk.

– Ó, de majd helyrehozzátok, nem igaz, kedvesem? – kérdezi, aztán elhagyja a konyhát, mielőtt esélyem lenne kimondani: nem feltétlenül. Talán nem. Talán ez a vége.

Charlie

Elérkezik a szerda, és én még mindig nem csináltam semmit, ahogyan Nick sem. Azt hiszem, azt reméltem, hogy ha elég hosszú ideig várok, ő lesz az, aki először ír, felhív, vagy *valami*. De semmi.

Őszintén, ötletem sincs, mit gondol. Talán *tényleg* szakítani akar. Mi másért vesztette volna el a fejét? Sosem volt még ilyen mérges rám ezelőtt. Istenem, nem hibáztatnám, ha szakítani akarna. Szánalmas vagyok.

Próbálom elterelni a figyelmemet a tananyag ismétlésével, de nem igazán működik. Elérkezik a csütörtöki latinvizsgám, és egész jól megy. Végül memorizáltam az összes szót; nem engedem, hogy bármi megakadályozzon abban, hogy a legjobb formámat nyújtsam. De nem vagyok boldog, amikor vége. Csak ellenőrizgetem a telefonomat hatszázmilliárdszor. És nincs ott semmi, természetesen. Semmi.

Tudom, hogy írnom kellene neki, de ha megkérdezem, tényleg szakítani akar-e, és igent mond, nem tudom, mit fogok csinálni.

Mi a célja az életnek Nick nélkül?

Hűha! Nagyon kínos vagyok.

Ha beszélni akar velem, akkor fog. Ha nem akar, akkor azt hiszem, ennyi.

Ez a vége.

Nick

Kilenc nap telt el a parti óta. Vasárnap van. Elcsesztem a pszichológiavizsgámat pénteken, de nem hiszem, hogy a vitánk miatt volt. Mindenki tudja, hogy az emelt szintű pszichológia egyenesen a pokolból ered.

Van néhány napom a következő vizsgámig, szóval ezen a hétvégén megint nem csinálok semmit. Még a kutyákat sem viszem el sétálni; megkérem anyát, hogy menjen ő. Csak ülök a szobámban behúzott függönyöknél, videójátékot játszom, tévét nézek, nem csinálok semmit.

Anya sétál be délután egy körül megkérdezni, hogy akarok-e ebédelni, de megdermed, amikor meglát. Becsavartam magam a takaróba, mint egy burrito, a hajam zsíros, és egy ingatlanműsor megy a tévében.

Leül az ágyra.

– Jól vagy, Nicky?

– Mmm…

– Hogy van Charlie? Nagyon rég nem láttam őt.

Lassan pislogok, és ránézek.

– Veszekedtünk.

– De annak már jó ideje, nem, kedvesem?

– Kilenc napja.

– És még nem rendeztétek el?

– Nem.

– Ó, kicsim. – Megveregeti, amit a lábamnak gondol, de az tulajdonképpen csak a kicsit göröngyös paplan. – Megpróbáltál beszélni vele?

– Szakított velem.

– Mi? Biztos vagy benne? Ez nem vall rá.

– Igen.

Kifújja a levegőt.

– Ó, kicsim. Annyira sajnálom – tárja szét a két karját egy ölelésre, én pedig azonnal belezuhanok még mindig a paplanburrito-formámban. – Minden rendben lesz... Rendben leszel...

Elég sok erőfeszítést igényel, hogy ne kezdjek el újra sírni.

– Akarsz ma este pizzát rendelni? – kérdezi. – Különleges ajánlat.

Bólintok.

– Igen, kérlek.

– Annyira szeretlek, kicsim. Rendben leszel.

– Szeretlek, anya.

De nem hiszem, hogy rendben leszek. Soha többé. Nem hiszem, hogy valaha újra rendben leszek.

NÉGY

Charlie

Két héttel a vita után van az utolsó előtti vizsgám: zene. Egy pénteki napon. Egész héten semmi másra nem gondolok, csak a vizsgáimra. Nos, leszámítva a tényt, hogy nem emlékszem az utolsó alkalomra, amikor két *napot* távol töltöttem Nicktől, nemhogy két egész hetet. Istenem!

El kell kezdenem túllépni rajta? Mert ötletem sincs, hogy az emberek hogyan csinálják ezt. Nick a legjobb és legfontosabb ember, akivel valaha találkoztam.

Istenem...

Ezen az estén elmegyek szórakozni a barátaimmal. Csak beülünk a Simply Italianba egy nagy, vizsgavégi, ünnepi kajálásra – bár az utolsó vizsgám jövő csütörtökön lesz. Próbálok szórakozni és nevetni az emberek viccein, meg arról beszélgetni, hogy milyen szörnyűek voltak a vizsgák, de hamis az egész. Nem akarok nevetni semmin. Haza akarok menni, feküdni az ágyban, és nem csinálni semmit.

Tao ül a balomon. Nevet és viccelődik a többi barátunkkal, de látom rajta, hogy csak azért kapcsolódik be a beszélgetésbe, hogy elrejtse, mennyire szomorú Elle miatt. Hogyan döntöttek a szakítás mellett? Csak megegyeztek, hogy ez lenne a legjobb? Vagy volt egy nagy veszekedésük, mint nekem és Nicknek? Nem akarom felhozni a témát és még jobban felzaklatni őt.

A jobbomon Aled ül. Csendben van az este nagy részében, mint általában, de amikor egyeztetünk, hogy ki mit fizet, megszólal:

– Charlie… – Rám néz, és őszinte aggodalmat látok a szemében. – Beszéltél egyáltalán Nickkel? – kérdezi.

A vitánknak nyilvánvalóan híre ment.

– Nem – felelem, próbálok kizárni minden érzelmet a hangomból.

– Szóval… akkor ennyi? – A hangja szinte suttogás. – Ti, öhm, szakítottatok?

– Igen. – Rájövök, hogy ez az első alkalom, hogy kimondtam. Eddig a pillanatig eltereltem a figyelmemet, de a tanulás most már nem vonja el többé. És tessék… Szakítottunk. – Igen, én, öhm… én azt hiszem.

Aled egy hosszú pillanatig csak néz rám.

– Annyira sajnálom.

– Nem a te hibád.

– Nem, de… – rázza meg a fejét – …ti vagytok Nick és Charlie.

Nevetek.

– És ez mit jelent?

– Ez… – Ő is nevet, idegesen kifújja a levegőt. – Ti… Ezt nehéz elmagyarázni. Ha bizonyíték kellene a lelki társak létezésére, mindenki titeket választana.

Felhorkanok.

– Nincs olyan, hogy lelki társ!

– Talán. De ti ketten elég meggyőző bizonyítékot szolgáltattok.

– Ha azok lennénk, nem szakított volna velem.

– Valóban ez történt?

Aledre bámulok. Még sosem hallottam őt ilyen magabiztosnak. Nem tudom, hogyan válaszoljak.

– Ténylegesen kimondta: *Charlie, szakítani akarok veled?*

Összeráncolom a homlokomat.

– Nos, nem, nem pontosan. De azt sem mondta, hogy: *nem akarok szakítani.*

– De nyilvánvaló, hogy ezt nem mondta volna.

– Mi?

– Ha úgy gondolta, hogy te szakítani próbálsz vele, nem fog elkezdeni tiltakozni. Ha úgy gondolta, hogy nem szereted őt többé, nem nehezítené meg a dolgot számodra. Csak összetörne a szíve.

– Nos, akkor egy idióta!

Aled nevet.

– Pontosan. Két szerelmes idióta. Álomkapcsolat.

– Nagyszerű. Köszi!

Valaki megzavar minket, hogy lássa, Aled rendezte-e a számlát. Igazán el akarom hinni, amit mondott. Hogy Nick soha nem akart szakítani velem.

Talán ideje kideríteni.

Amint hazaérek, leülök a konyhapulthoz, ahol Tori is ül a laptopjával és egy nagy pohár cukormentes limonádéval. Felém fordul.

– Legalább kétszáz százalékkal vidámabbnak tűnsz, mint amilyen összességében az elmúlt két hétben voltál – mondja.

– Beszélnem kell Nickkel, nos, *hamarosan.*

A levegőbe emeli a kezét.

– Jézus Krisztus! Végre! Az évszázad felfedezése!

Megfordulok a széken.

– De nem igazán akarok.

– Igen, igen, igen. Megvolt a dackorszakod, oké? Már végzős középiskolás vagy.

– Szeptemberig még nem.

– Én mindig inkább az év utolsó napjától számolom.

– Nos, én nem.

Nagyot kortyol a limonádéból, aztán hevesen az ajtóra mutat.

– Menj, és beszélj vele, te óriáscsecsemő!

– Ó, istenem, *rendben!*

Felállok a konyhapulttól, és az ajtó felé indulok, ám Tori épp akkor szólal meg, amikor kilépnék rajta.

– Apropó, ezt találtam a kanapé párnái között. – Felkap valamit maga mellől, és odanyújtja Nick egyszer használatos fényképezőgépét. – A tiéd?

Elveszem tőle.

– Ó, ez Nické.

– Ó! Akkor talán vissza akarja kapni.

– Igen. – Lassan kisétálok a helyiségből. A szám hátul, a parányi kijelzőn nulla – nem is tudtam, hogy Nick ennyi képet készített. Mikor csinálta ezeket? Csak két héttel ezelőtt hagyhatta itt a fényképezőgépet, amikor a partira készülődtünk, és akkor nem láttam, hogy fényképezett volna. Szóval az azelőtti napon történhetett.

És ebben a pillanatban már pontosan tudom, mit fogok csinálni.

★

A szombat délelőtti műszakom után átsietek a kávézóból a Bootsba, hogy előhívassam a filmet.

Fogalmam sincs, mi van rajta, de úgy gondolom, talán valami, amit elküldhetek Nicknek. Nem tudom, ez segíteni fog-e bármiben is. De egy kép többet mond ezer szónál, azt hiszem. Bla-bla-bla, valami giccses és romantikus. Ja. Klassz.

Megérkezem a Bootshoz, és kiderül, hogy várnom kell egy órát, hogy előhívják a képeket, szóval a városban barangolok az esernyőmmel a kezemben. Veszek egy Oreo Dairy Milk szeletet az újságárustól, mert Nick megszállottan szereti. Aztán leülök egy padra, és előveszem a telefonomat az esernyőmet a vállamon egyensúlyozva.

És ekkor meglátom, hogy kaptam egy üzenetet Taótól.

Azonnal megnyitom.

Tao Xu

(15:34) Hé, Charlie, tudom hogy az elmúlt néhány hét szörnyű volt mindkettőnknek az Elle-lel és Nickkel kapcsolatos dolgok miatt, de azt akartam hogy te legyél az első aki megtudja, hogy én és Elle újra összejövünk. Beszéltünk erről még egy kicsit és mindketten ROHADTUL FÉLÜNK a távkapcsolattól... de úgy dönteni, hogy szakítunk, hiba volt. Még mindig mindketten szeretjük egymást haha. Ezért legalább meg akarjuk próbálni!!

A szívem majdnem kiugrik a mellkasomból. Tao és Elle hibáztak. Újra összejönnek.

Charlie Spring

(15:52) omg. annyira, annyira örülök nektek, tudom hogy jók vagytok együtt

Tao Xu

(15:54) Én pedig nagyon sajnálom ha én és Elle valami furcsa drámát okoztunk közted és Nick között és igazán remélem hogy hamarosan minden rendben lesz köztetek, és ha ez bármiben is segít, láttam Nicket amikor elment Harrytől és nagyon feldúlt volt... mármint én egész biztos vagyok hogy semmiképpen sem akar igazából szakítani veled.

Többször elolvasom az üzenetet, mielőtt válaszolok.

Charlie Spring

(15:52) ez határozottan nem a ti hibátok... tájékoztatlak majd a fejleményekről. Én sem akarok igazából szakítani haha

És ettől egy kicsit jobban érzem magam. Már attól is, hogy kimondtam.

Nem akarok szakítani Nickkel.

Ezután visszasétálok a Bootshoz, és átveszem a fotókat.

Nem nézem meg őket addig, míg a hazafelé tartó buszon nem ülök.

Az első fotó az, amit Nick készített rólam, amikor a dobozerődben rátaláltam az iskola utolsó napján. Kissé zavartan nézek. A szemem tágra nyílt, a szám félig nyitva. Nem rettenetes. Szép, mert természetesnek látszik, azt hiszem.

A második az, amit Harry lőtt, amikor nem figyeltünk, és feleannyira sem tűnik kínosnak, mint gondoltam. A füvön állunk egymás kezét érintve, úgy nézünk egymásra, mintha épp szünetet tartanánk a beszélgetésben, a fű a lábunknál és a fák a fejünk felett olyan fényesnek tűnnek a napsütésben. Tisztára művészi. Harry valószínűleg nagyon elégedett lenne önmagával.

A harmadik az, amit én készítettem Nickről, és *ez* egy szörnyű kép. Hangosan röhögök rajta. Tényleg vicces: éppen pislog. Valószínűleg kidobja majd a kukába, amint meglátja.

És a negyedik a szelfi, amit együtt csináltunk, Nick karja a vállam körül, a fejünk egymásnak döntve, mindketten mosolygunk, megcsillan a napfény Nick mellkasán. Elnézegetem ezt a képet egy ideig. Ez a csütörtök olyan szép nap volt... Bárcsak az elmúlt két hét is olyan szép lett volna, mint az a nap!

Ezután van még néhány az iskolában, több Nickről a barátaival az évfolyamáról, és még egypár magáról az iskola épületéről is, mintha Nick emlékezni akarna arra, hogyan néz ki.

És aztán itt van egy rólam Nick autójában. Ülök, a lábam az ülésen, rajtam a napszemüveg, és a telefonomat görgetem át. Ez szép. Ritkán látok magamról ilyen képeket; majdnem mindig szelfik vagy barátokkal pózolós fotók készülnek.

A busz hirtelen zökken egyet, és a képek az ölemből mellém hullanak az ülésre. A kezemmel rájuk csapok, mielőtt leesnének a földre, de mind szétterültek, akár a kártyalapok, és az egyiken megakad a szemem.

Én vagyok, Nick ágyában alszom. A kinti utcai lámpák fénye lágy, narancssárga, ahogy átsüt a vékony függönyön. A kezem behajlítva az arcom mellett, a hajam pedig teljesen kusza és féloldalas. Nem tudom, mikor készíthette. Azt hiszem, előbb elaludtam, mint ő, de őszintén szólva, nem emlékszem.

Talán egy kicsit furcsa ilyet lefotózni, de meg tudom érteni, hogy Nick miért tette. Én is csinálnék róla egy képet, ha így nézne ki az ágyamban. Istenem, ez ijesztően hangzik, ugye? Nem érdekel.

Miközben átlapozom a többi képet, kezdek rájönni, hogy mind ilyenek, mind lila, kék és narancssárga árnyalatúak, tompa színűek, kicsit homályosak, mint a polaroidok egy művészeti iskolai kiállításon.

Én, elnyújtózva az ágyán a laptopjával. Én, a nappali szőnyegén fekve, karommal a border collie-ja, Nellie körül. Én, ahogy megpróbálom a hátamra venni a mopszliját, Henryt. Én néhány lépéssel előtte a házuk mögötti mezőn, amikor sétálni vittük a kutyákat. Én, ahogy egy kis domb tetején állok, kitárt karokkal – emlékszem, amikor ez készült. Én, oldalról rosszalló pillantást vetve rá, amikor rajtakaptam, hogy a kilátás, a napsütötte horizont, a mezők és a folyó helyett engem próbál lefotózni. Egy szelfi kettőnkről. Egy szelfi kettőnkről, amin felemelem Henryt, hogy ő is benne legyen a képben. Egy szelfi kettőnkről, hülye arcot vágva. Visszatérve a házukhoz, egy elmosódott közeli kép a nevetésemről, amikor az arcomba tolta a kamerát. A fény egyre sötétebb, kékebb, egy fotó rólam, ahogy a nappali kanapéján kucorgok, és a tévéképernyő megvilágítja a hajam végét. Én, törökülésben az ágyán, csak pólóban és bokszerben, a kamerára mutatok, és mosolygok. És aztán az, amin alszom.

Nagyon sok van csak rólam.

Rólam.

Nick egy rakás fotót készített rólam.

Nick nem egy szörnyen kreatív ember. Sohasem érdekelte a fotózás vagy a művészet, vagy bármi hasonló.

Azt hiszem, csak azért készítette ezeket, mert emlékezni akart arra, hogy milyen volt. Milyen most az életünk. Egymás házában lazulni, sétálni menni, együtt enni, együtt aludni.

Unalmasnak hangzik, de közben annyira csodálatos.

Az. Érzem, hogy már attól sírni kezdek, hogy a közös életünket nézem.

Szeretem ezt. Szeretem magunkat. Szeretem a mi furcsa, unalmas életünket.

Előveszem a telefonomat a zsebemből, és készítek egy képet a grimaszolós szelfinkről a mezőn. Elküldöm Nicknek.

Nick

A haverom, Sai átjött, hogy a lelkemre beszéljen. Ősztől a Cambridge-i Egyetemre fog járni, úgyhogy nem vagyok teljesen meglepve, hogy elég okos ahhoz, hogy észrevegye, körülbelül száz kilométerre vagyok az „oké"-tól, de eddig még nem mondott semmi használhatót, szóval most Mario Kartot játszunk, és gumicukrot eszünk.

Miután körülbelül félóráig játszottunk, és mellékesen elcsevegtünk az emelt szintű érettségiről, a nyárról, és hogy mennyire szar volt Harry partija, Sai végre kimondja:

– Szóval pontosan min is vesztetek össze ti ketten? – Leteszi a kontrollert, megfordul a kanapén, és összefonja a karját. – Mert, hogy őszinte legyek, semmiségnek hangzik.

Felsóhajtok, és szüneteltetem a játékot.

– Charlie szakított velem, haver.

– Jaj, ne már! Mi a *fészkes fenéért* tenne ilyet?

– Ötletem sincs.

– Biztos vagy benne, hogy ez volt a célja?

– Őszintén szólva, nem vagyok egészen biztos. Annyira részeg volt. Egyre csak mondogatta nekem, hogy szakítanom kéne vele. És én egyszerűen kiakadtam.

Sai megigazítja a szemüvegét, és az egyik kezét átfuttatja a haján.

– Úgy hangzik, mintha el kéne beszélgetned vele, haver.

– Nem tudom, mit mondjak – teszem le a kontrollert. Ránézek. – Segíts!

– Miért én vagyok a párkapcsolati szakértő? Soha nem volt még párkapcsolatom.

– Te okos vagy. Angol irodalmat tanulsz az egyetemen.

– Az angol irodalom teljesen hasznavehetetlen a való világban, Nicholas. *Teljesen hasznavehetetlen.* Higgy nekem! Chaucer és John Donne nem fog segíteni neked ebben.

Ez megnevettet.

– Azt sem tudom, ők kicsodák.

– Hát ez az!

Hátrahajtom a fejem a kanapéra.

– Azt hiszem, ő… csak… úgy gondolta, hogy itt az idő lezárni a kapcsolatunkat. Mármint a tinédzserkapcsolatok sosem tartósak. Egy kicsit furcsa, hogy egyáltalán idáig eljutottunk. És… Nemtom, azt hiszem, azt gondolja, hogy elég unalmasak vagyunk; mármint alig csinálunk valami érdekeset. Miénk a legunalmasabb tinédzserkapcsolat.

– A legunalmasabb tinédzserkapcsolat? – hadarja Sai. – Láttad már magatokat? Minden egyes nap együtt lógtok, és valahogy még nem akartátok megölni egymást! Elkezdtetek rendszeresen egymás házában aludni, akkor is, ha suliba kell menni. Képesek vagytok kommunikálni egymással csak a *pillantásotokkal!* Higgy nekem, társasjátékoztam kettőtökkel! – A fejét rázza. – Egy unalmas tinédzserkapcsolat az, ha az iskola kapuján kívül meg merik fogni egymás kezét, és szombat délutánonként elmennek egy mozi-és-Nando's randira.

Rábámulok.

– Ha szakítani akartok – mutat rám –, csak tessék. Ha *unatkoztok,* és azt akarjátok, hogy vége legyen, rendben. De csak mert nem mentek minden hétvégén valami kibaszottul csodálatos randira, az nem jelenti, hogy *unalmasak* vagytok, és határozottan nem jelenti, hogy szakítanotok kell.

A lábára csap a kezével, és hátradől.

– Francba… – mondom.

Amikor előveszem a telefonomat pár órával később, van egy üzenetem.

A név, ami a kijelzőn olvasható: **Charlie Spring.**

ÖT

Charlie

Küldök neki egy másik képet két órával később. Azt, amin csókolózunk. Amit a telefonommal készítettem.

Két órával ezután elküldöm neki a harmadik képet. A szelfit, amit az utolsó napján készítettünk az iskolában.

Következő reggel egy régi szelfit kettőnkről, amit a Tumblrömön találtam.

Egy félórával később egyet az első szelfijeink közül; vissza ahhoz, amikor járni kezdtünk.

És így folytatom egészen hétfőig. Kép kép után, míg el nem küldtem minden egyes szelfit kettőnkről, amit a telefonomra lementettem.

Mindegyiknél megjelenik a kis „Elolvasva" pipa vasárnap délutánig. Aztán abbahagyja az olvasásukat.

És nem mond semmit. Nem válaszol.

Amint Tori hazaér a vizsgájáról hétfőn, mindent elmesélek neki.

– Nem válaszol – mondom. Kínos, mennyire rémültnek hangzom. – Mit jelent ez?

Az ajtóban áll, még a cipőjét sem vette le.

– Megvannak azok a fényképek? – kérdezi.

– A szobámban.

– Hozd ide őket!

– Miért?

– Postázzuk őket a levélbedobón keresztül.

– Miért fog ez segíteni?

– Mert az SMS-ek bénák – von vállat. – És egy gesztusra van szükség.

Felnevetek.

– Ki vagy te?

– Egy újjászületett nő. Hajlandó vagyok félretenni a közönyömet a romantika kedvéért – kacsint, és a kezét a szívére teszi. – Jézus, már attól felfordul a gyomrom, hogy ezt hangosan kimondtam!

Tori barátja, Becky elvisz minket autóval. Becky folyamatosan bámul engem a visszapillantó tükörben. Sosem voltam igazán biztos benne, hogy vajon kedvel-e, vagy sem, ám azt hiszem, ez ebben a pillanatban nem számít.

Csak egy percig tart odavezetni, de Tori azt mondja, muszáj autóval mennünk, mert a gyors távozás létfontosságú lesz a „gesztus" sikerességéhez. A hátsó ülésen ülve újra átlapozom a fotókat. Mindegyiket be kéne dobnom? Vagy csak néhányat? Csak egyet?

Meghozom a döntést, és előveszek egy tollat a zsebemből.

Nick

Hazaérek a hétfő délutáni vizsgámról, ledobom a táskámat az előszoba padlójára, és eldőlök a nappali kanapéján. Ma nem ment túl rosszul. Már csak kettő van hátra, és aztán ennyi. Itt a nyár.

Nyár. Mit fogok kezdeni ennyi idővel?

Szinte nem is akarom, hogy a vizsgáim véget érjenek.

Charlie üres üzeneteket kezdett küldeni nekem szombaton, mialatt Sai nálunk volt. Nem igazán tudom, hogy mit akarnak jelenteni. A telefonom elég régi, és néhány hónappal ezelőtt ledobtam a lépcsőn, szóval feltételezem, ez működési hiba. Nem kapcsoltam be tegnap délután óta. Látni Charlie nevét, ahogy állandóan felugrik, görcsbe rándította a gyomromat minden egyes alkalommal.

– Nicky? Te vagy az, szívem? – kiált ki anya a konyhából.

– Igen – kiabálom vissza.

– Levelet kaptál.

Felsóhajtok, és felkelek a kanapéról. A konyha felé botorkálok, az asztalhoz lépek, ahol ott van egy barna boríték, rajta a „Nick" névvel, cím nincs.

Charlie kézírása.

És a gyomorgörcsöm erősebb, mint egész hétvégén volt.

– Ó, istenem! – mondom.

– Mi a helyzet? – Anya két bögre teát hoz az asztalhoz, leül, és várakozóan néz rám.

– Charlie-tól jött.

Anya eltátja a száját. Mindketten a borítékot bámuljuk egy hosszú pillanatig.

– Nos, akkor nyisd ki!

És megteszem.

A boríték belsejében egy fénykép van, olyan, amit az egyszer használatos fényképezőgépekből hívnak elő. És én azonnal tudom, hogy ezt én készítettem. Pontosan emlékszem a pillanatra, amikor eldöntöttem, hogy elkészítem: besétáltam a szobámba, miután megittam egy pohár vizet, és Charlie-t ott találtam gyönyörűen, összegömbölyödve az ágyamban, az utcai lámpa narancsos fénye ragyogott a bőrén, és úgy éreztem, hogyha meghalnék, ez lenne az, amit utoljára látni akarnék.

Megfordítom a fotót, és ott van Charlie kézírása.

Szia. Egy csomó képet készítettél rólam. Belém vagy zúgva, vagy valami? Milyen égő. Ha szeretnél beszélgetni, holnap (kedden) 3 órakor a Truham Általános Iskola Nyári Fesztiválján leszek... húha ez nem egy romkom lol. Elnézést, hogy ez ennyire nyálas lett. Egyébként szeretlek. Oké szia xxxx

Nick
TÉP

Charlie

Nem voltam ilyen ideges, mióta elő kellett adnom az átkozott iskolaelnöki kampánybeszédemet az egész iskola előtt.

Mi van, ha Nick még nem is látta a fotót? Mi van, ha, mondjuk, a lábtörlő alá csúszott? Vagy az anyukája kidobta véletlenül? Mi van, ha látta a fotót, széttépte, és még csak nem is vette észre az üzenetet a hátulján?

Mi van, ha elolvasta, és mégsem bukkan fel?

Torival és az apánkkal két óra körül érkezem meg a Truham Általános Iskola Nyári Fesztiváljára, ami minden évben a sportpályájukon zajlik. A következő óra nagy részét azzal töltjük, hogy körbejárunk az öcsénkkel, Oliverrel, aki negyedikes az iskolában. Apa ad neki pénzt tombolára, ugrálóvárra és kókuszdobálásra. Tori játszik ellene asztali focit, amit a pálya közepén állítottak fel, én pedig főként ácsorgok, újra meg újra megnézem a telefonomat, és a pasimat keresem mindenfelé. Vagy expasimat?

Nem. Nem ex. Még nem.

Még nem adom fel.

Háromnegyed háromkor megyek, és a terület bejáratához közel elhelyezkedem, éppen a teniszpályán belül. Túlságosan emlékeztet a gimi teniszpályájára, a napra, amikor ez az egész elkezdődött, ez az egész őrült, értelmetlen érzés.

Charlie Spring
(14:54) a teniszpályán vagyok!! ha jössz

Nem ír vissza. Még csak nem is mutatja, hogy elolvasta az üzenetet. Érzem, hogy egy kicsit kezdek izzadni. Akkor most vége? Fel fogom adni ezek után? Képes leszek feladni?

Mit fogok mondani neki? Csak könyörgök majd neki, hogy ne szakítson velem?

Mi van, ha megjelenik, és még mindig azt mondja, hogy szakítani akar?

Mély lélegzetet veszek.

Vége, azt hiszem.

Felnézek, és meglátom, ahogy Nick átsétál a teniszpálya kapuján.

Több mint két hétig nem láttam őt. Pusztán a látványa arra késztet, hogy oda akarjak rohanni hozzá, megcsókoljam, megöleljem, és ne engedjem el őt legalább húsz percig. Ökölbe szorítom a kezem, és nagyon mozdulatlan maradok, miközben odasétál hozzám. Istenem, minden olyan tökéletes rajta!

– Szia! – mondom, amint megáll, és nekidől a teniszpálya kerítésének előttem. Próbálok kitalálni valami mást, amit mondhatnék, de semmi nem jut eszembe azt leszámítva, hogy „gyönyörű vagy" és „szeretlek".

– Szia! – feleli egy ideges mosollyal.

Szünet.

– Megkaptam a fotót – mondja, aztán megrázza a fejét. – Szóval, jah. Itt vagyok.

Kieresztek egy kis nevetést.

– Őszintén, a legégőbb dolog volt, amit valaha tettem.

– És még te nevezel *engem* égőnek.

– Amúgy az a fotó elég égő volt.

– Igaz. Igazából mindketten szánalmasak vagyunk – vigyorog, én pedig érzem a remény nyilallását.

– Nem írtál vissza nekem – mondom.

Nick csak pislog, és azt mondja:

– Csak üres üzeneteket küldtél. Azt hittem, működési hiba, vagy ilyesmi.

Előveszi a telefonját a zsebéből, és megmutatja nekem az üzeneteit. Ott van az, amit öt perccel ezelőtt küldtem neki, és felette csak üres üzenet üres üzenet után.

Oh.

Jó.

– Miért, mi volt bennük? – néz rám Nick kíváncsian.

– Oh... Én csak... öhm elküldtem neked az összes képet, izé, egyesével... – futtatom végig a kezem a hajamon. – Ez annyira kínos. Hűha. Bocsi.

– Úgy érted, képeket rólunk?

– Igen... haha...

– Azt hiszem, ez a telefon már nem tud képes üzeneteket fogadni.

Rábámulok.

– Nem tud?

– Úgy gondolom. Tudsz róla, hogy ledobtam a lépcsőn pár hónappal ezelőtt? Azóta csinált néhány furcsa dolgot.

Meglepődve megrázom a fejem.

– Tudtam, hogy ledobtad, de a fotós dologról nem tudtam.

Vállat von.

– Én sem.

– Ó!

– Megnézhetem őket most?

Nem nevet rajtam. Komoly. Nem gondolja, hogy őrültség volt.

– Igen. – Kiveszem a zsebemből a telefonomat, és egyesével végiggörgetjük a képeket, nevetünk a bénákon, és leragadunk a cukiknál. Néha találunk egyet, ami emlékeztet minket egy régi napra, mi pedig megállunk, és beszélgetünk róla, és emlékezünk, emlékezünk az ostoba randikra, amiken voltunk, a szörnyűekre és a nagyszerűekre, az egyforma napokra, amiket odabent és házon kívül töltöttünk, az iskolában és otthon. Végül mindketten az aszfalton ülünk a kerítésnek döntve a hátunkat, a pályán és a cipőink fehér részén szikrázik a napfény.

Egy percig csendben ülünk, aztán megszólal, a hangja olyan halk, hogy épphogy csak megértem a mögöttünk lévő tömeg duruzsolásán keresztül.

– Nem akarok szakítani veled.

És ott, helyben őszintén sírni tudnék. Sírni tudnék a megkönnyebbüléstől.

– Én sem – mondom. – Sajnálom, ha úgy hangzott, mintha akartam volna. Tényleg nem akartam.

– Dettó – nevet. – Ötletem sincs, min vesztünk össze.

– Nekem sem.

– Sajnálom, hogy kiabáltam veled. És nem vittelek haza.

– Sajnálom, hogy berúgtam, és enyelegtem veled mindenki előtt. És sírtam.

– Sajnálom, hogy fasznak neveztelek.

– Sajnálom, hogy azt mondtam, menj el.

– Sajnálom, hogy állandóan az egyetemről beszéltem.

– Sajnálom, hogy felhúzott, hogy állandóan az egyetemről beszélsz.

Nevet, csodálatos, kisfiús Nick-nevetéssel. A vállamra hajtja a fejét.

– Most már leállhatunk?

Megtalálom a kezét, és az enyémbe zárom. Nekidőlök, és most is olyan Nick-illata van. Otthonillata.

– Igen.

– Soha nem akarok szakítani veled – mondja.

– Én sem.

– Talán ez hülyeség.

– Nem érdekel – mondom.

– Engem sem – feleli.

Megint felemeli a fejét, és megcsókol. Nem voltam ilyen boldog hetek, hónapok óta, talán soha. És valami más is van, valami, amit nem igazán tudok hová tenni. Az arcomhoz emeli az egyik kezét, és nem hiszem, hogy a dolgok visszatértek a normális kerékvágásba, hanem helyette átléptünk egy teljesen új korszakba, ahol jobbak, biztosabbak, erősebbek vagyunk együtt.

Hűha! Igazán ciki vagyok...

– Szóval, vettem neked csokoládét – mondom, amikor kicsivel később szétválunk. Előveszem az Oreo Dairy Milk szeletet a zsebemből, remélve, hogy nem olvadt meg túlságosan a melegben.

– Ó, ember! – megragadja, és feltépi a csomagolást. – Ez az! Ezzel most megpecsételted az egyezséget. Gyakorlatilag házasok vagyunk. – Bedob a szájába egy kockát, aztán felém nyújtja. – Kérsz?

A csokoládéra bámulok, és érzem a félelemlöketet, ami mindig elkap, de valami valamilyen oknál fogva abban a pillanatban arra késztet, hogy azt mondjam:

– Igen, oké.

Nick

Elhatározzuk, hogy passzoljuk a fesztivált. Oliver jól ellesz Torival és az apukájukkal, és amúgy sincs túl sok keresnivalónk itt. Úgy döntünk, a tengerpart sokkal jobb ötlet.

Körülbelül egyórás autóútra van az a partszakasz, ahová mindig járunk, így Charlie összedugja a telefonomat az autórádióval, és lejátszik néhány dalt Sufjan Stevenstől, aztán Shurától, majd Khalidtól. Vannak közelebbi partok is, de azok mindig zsúfoltak és gusztustalanok, tele hangos tinédzserekkel meg kisgyerekekkel, és emberekkel, akik egy helyért harcolnak, ahová a törülközőiket leteríthetik.

A mi partunk sokkal kisebb. Van egy keskeny mólója, amin végigsétálhatsz, a végén egy paddal, és egy hatalmas játékterem éppen az út túloldalán, ami este 10-ig nyitva van. Úgy tűnik, soha nincs sok ember magán a strandon a kutyasétáltatóktól és az idősebb emberektől eltekintve. És ez ma sincs másképp. Csak a nyílt tér, a tükörsima, kék tenger és a gyönyörű horizont létezik, mintha az egész világ csak nekünk készült volna.

Fel-le sétálunk a parton, beszélgetünk, aztán végigmegyünk a mólón, és leülünk a végében lévő padra. Beszélgetünk, csókolózunk, majd elővesszük a pokrócot, amit az autómban tartok, és keresünk egy helyet a parton, ahová leülhetünk. Végül elfekszünk, és csak hallgatunk egy ideig.

Elsétálunk a fish-and-chipseshez, ahová mindig elmegyünk, ülünk a téglafalon odakint, eszünk és beszélgetünk. Aztán úgy döntünk, hogy jó ötlet levenni a cipőnket és a zokninkat, felhajtani a farmerjainkat, és bemerészkedni a tengerbe, de amint a farmerünk vizes lesz, gyorsan rájövünk, hogy ez valószínűleg mégsem volt túl jó ötlet.

Készítünk egy csomó fotót Charlie telefonjával, miután arról beszéltünk, hogy nem csinál eleget. Bemegyünk egy órára a játékterembe, és játszunk az összes kedvencünkön: léghoki, dzsungeles autós játék, síelős játék, kosárlabdás játék, érmegépek. Elég jegyet szerzünk egy gumilabdához.

Újra a móló végén ülünk, nézzük a naplementét, mert ez az, amit egy olyan napon teszel, mint ez. A felhők rózsaszínre és lilára váltanak, az ég narancssárga, aztán minden sötétkék.

A visszafelé úton Charlie elalszik az autómban. Bekapcsolom a rádiót, és megköszönöm az univerzumnak, hogy ilyen az életem.

HAT

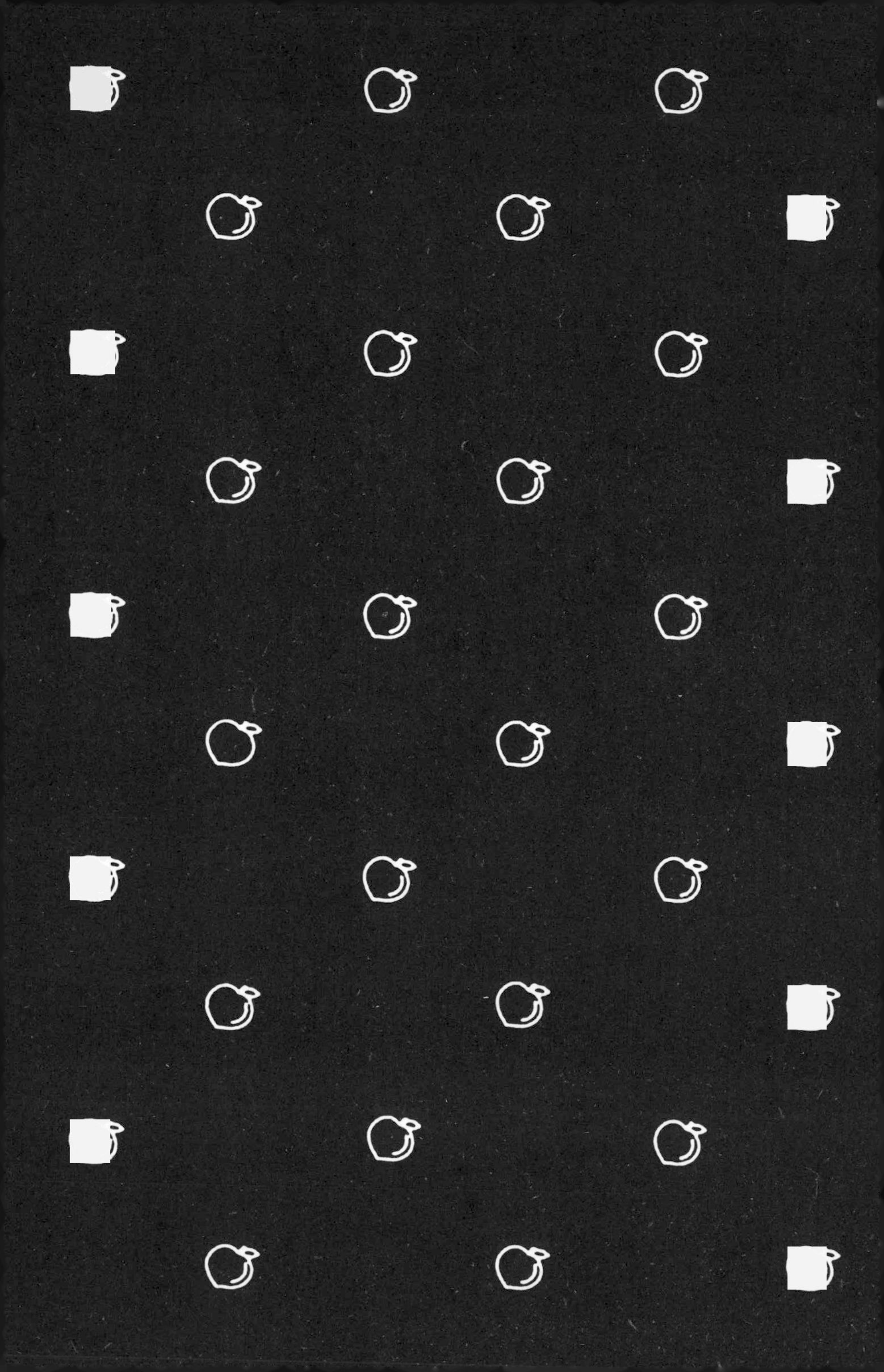

Charlie

Alednek igaza volt. Nick és én komolyan idióták vagyunk.

Az egész napot azzal töltöttük, hogy magunkról beszélgettünk, és hogy milyen lesz, amikor távkapcsolatban leszünk, és őszintén szólva ettől még jobban hiszek abban, hogy jól leszünk, hogy minden rendben lesz.

Minden rendben lesz. Ezúttal komolyan.

Nick hazavisz, de azt mondom neki, hogy vigyen inkább az ő házukhoz. Írok Torinak, hogy Nickéknél maradok. Majd elmagyarázza a szüleinknek.

Későig fenn maradunk, beszélgetünk, az interneten böngészünk, videókat nézünk, újra beszélgetünk, nevetünk, elbóbiskolunk. Kíváncsi vagyok, milyen lenne egy egész életet így leélni. Azt hiszem, egész klassz lenne. Nem fogok hazudni.

És aztán az egyik percben még ott fekszünk, a másikban pedig már csókolózunk. Nem mintha ez valami különös újdonság lenne, mégis újnak *tűnik*. Úgy tűnik, mintha egy évszázadra kénytelenek lettünk volna elválni egymástól, és ez a mi újraegyesülésünk, a megkönnyebbülés és kétségbeesés keveréke. Mindketten egymásba kapaszkodunk az ágyon, és amikor Nick elhúzódik, hogy megcsókolja a nyakamat, egyszerűen abbahagyom a gondolkodást.

Hogy lehet, hogy ez még mindig annyira… Hogy eltelt két év, és még mindig így érzem magam a karjában?

Hosszú ideig csókolózunk, akár két évvel ezelőtt. Nick kanapéján próbálunk nézni egy filmet. Lehetetlen. Nem tudok semmi másra gondolni, amikor Nick olyan gyengéden futtatja végig a kezét a hajamon, át a hátamon, a csípőm fölött. Megkérdezem, hogy nem kellene-e levenni a ruháinkat, ő pedig igent mond, mielőtt még befejezném a mondatot. Aztán lehúzza a pólómat, és nevet, amikor nem boldogulok az inggombjaival. Kikapcsolja az övemet, én pedig benyúlok az éjjeliszekrénye fiókjába egy óvszerért. Ismét csókolózunk, átfordulunk, nyilvánvalóan láthatod, hová vezet ez az egész.

Nem tudom, hogy azért, mert különösen érzelmesek vagyunk most, vagy csak mert elfáradtunk, vagy ez az utóbbi pár hét túl sok volt, de ez a mostani nagyon emlékeztet az első alkalomra, amikor szexeltünk.

Mindketten rohadtul rémültek voltunk, és az egész dolog elég szörnyű volt, mert nem tudtuk, mit csinálunk. De jó is volt, annyira jó, mert az érzelmek káoszában voltunk, ijedten, izgatottan, és minden *újnak* érződött.

Szóval ez valahogyan olyan érzés.

Nick úgy érint meg engem, mintha félne, hogy bármelyik pillanatban örökre elporladhatok. Amikor végre teljesen meztelenek vagyunk, leáll, és úgy bámul, mintha megpróbálna az emlékezetébe vésni minden másodpercet. Miközben mozgunk, folyton a nevemet mondja, újra és újra, míg túl nevetségesnek nem érzem, és megmondom neki, hogy fogja be. De ő csak szélesen vigyorog, és mindezek

Z Z Z

ellenére tovább mondogatja, a bőrömbe suttogja, csak hogy megnevettessen. Olyan erősen szorítom magamhoz, mintha ez itt tartana minket. Itt tartaná őt velem.

Régebben azt hittem, szánalmas vagyok, hogy ilyen nyálas, romantikus dolgokra gondolok, mint ez. Többé nem hiszem. Folyton csak erre gondolok. Folyton azt akarom, hogy itt legyen. Folyton azt akarom, hogy maradjon.

Később fekszünk ott egy ideig, Nick feje a mellkasomon, a lábaink egymásba fonódva. Odanyúlok az éjjeliszekrényéhez, bekapcsolom a rádiót, és észreveszem, hogy elmúlt hajnali három. Hogy történt ez? Becsukom a szemem, mert azt hiszem, Nick talán elaludt, de néhány perccel később hallok egy kattanást, és kinyitva a szemem látom, hogy egy fotót készített rólunk, ahogy itt fekszünk, ezúttal a telefonjával.

– *Nick!* – Megragadom a telefont, és megnézem a fotót, miközben jókedvűen nevet.

– Semmi sem fogható egy szex utáni, spontán képhez.

Nem felelek, mert csak bámulom a fotót. Olyan, mint azok, amiket az egyszer használatos fényképezőgépével készített. Természetes és megrendezetlen, Nick hozzám simul, és önelégülten mosolyog fel a kamerába, a fejem az övének dől, a szemem lehunyva, a szám pedig résnyire nyitva.

– Ne töröld ki! – mondja Nick.

– Nem teszem. – Még egy másodpercig nézem, aztán visszaadom neki. – Ne tedd fel az Instagramra!

– Beállíthatom a háttérképemnek?

– Mi? És megszabadulnál Henrytől és Nellie-től? Végre jobban szeretsz engem, mint a kutyáidat?

– Mmm, ez egy kicsit túlzás…

Megmozdulok, lelököm magamról, és átfordítom magunkat, így most én fekszem rajta.

– Bunkó!

Nick nevet, és körém fonja a karját.

– Oké, rendben, jobban szeretlek, mint a kutyáimat.

– Helyes.

– Igazából jobban szeretlek, mint bárkit.

Egy kicsit halkabban mondja ezt. Felemelem a fejem a nyakhajlatából, így találkozhat a pillantásunk.

– Ez furcsa? – folytatja, aztán kienged egy kis nevetést. – Csak tizennyolc éves vagyok.

– Nem tudom – felelem. – Talán.

Furcsa. Mindketten tudjuk, hogy ez furcsa. Mindketten tudjuk, hogy *mi* furcsák vagyunk, nem olyanok vagyunk, mint más párok a mi korunkban. Furcsa, hogy minden egyes nap együtt lógunk, furcsa, hogy inkább csak egymással lennénk állandóan. Mindennap azon tűnődünk, mikor múlik el ez az érzés, és felejtjük el a tinédzserkapcsolatunkat. De ez soha nem történik meg. Csak folytatjuk tovább.

Mert ez túlságosan jó. Istenem, ez annyira jó!

– Én is furcsa vagyok – mondom, mert nem érzem teljesen elegendőnek, hogy azt feleljem, „én is jobban szeretlek bárkinél". Pedig őszintén, jobban szeretem őt, mint bárki mást az egész világon.

– Igen – mondja Nick, és megszorít, mert ő már tudja.

Nick

Másnap reggel Charlie telefonos ébresztőjének hangjára ébredek, ő pedig őszintén szólva a legimádnivalóbb mordulást hallatja, amit valaha hallottam, és annak ellenére, hogy félálomban vagyok, elkezdek nevetni. Kikapcsolja az ébresztőt, megfordul, és azt kérdezi:

– Mi van?

Én pedig azt mondom:

– Ne menj iskolába ma. Nem kell iskolába menned… tanulmányi szabadság van… – És kinyújtom a karom, közelebb húzom magamhoz, ő pedig becsukja a szemét, és azt motyogja:

– Rendben.

CUPP
CUPP

Solitaire – Pasziánsz

A nevem Tori Spring. Szeretek aludni és szeretek blogolni. Tavaly – mielőtt ez az egész dolog történt volna Charlie-val, és mielőtt szembe kellett néznem az érettségivel és az egyetemi felvételik kíméletlen valóságával, és azzal a ténnyel, hogy egy nap tényleg el kell kezdenem beszélgetni az emberekkel – még voltak barátaim. A dolgok nagyon mások voltak, azt hiszem, de mindennek már vége.

Heartstopper – Fülig beléd zúgtam

Két fiú találkozik. Két fiú összebarátkozik. Két fiú egymásba szeret. Egy LMBTQ+ képregény az életről, szerelemről és mindenről, ami a kettő között történik – a *The Art of Being Normal*[1], *Holly Bourne*[2] és a *Simon és a Homo sapiens-lobbi*[3] rajongóinak.

---

[1] A könyv még nem jelent meg magyarul. A cím jelentése: A normalitás művészete.
[2] Brit író, aki fiatal felnőtteknek szóló szépirodalmi műveket ír.
[3] A *Love, Simon* című film alapját képező könyv.

Loveless

Praise for debut novel *Solitaire*: *'The Catcher in the Rye* for the digital age' – *The Times*

How long before her story begins?

Loveless

Alice Oseman

Georgia még sosem volt szerelmes, sosem csókolózott, még csak bele sem zúgott senkibe soha. Amikor elkezdi az egyetemet, készít egy tervet, hogy hogyan találhatja meg a szerelmet. De a tettei fájdalmat okoznak a barátainak, így felteszi a kérdést, miért tűnik olyan könnyűnek a romantika mások számára, míg neki nem az. Új címkéket aggatnak rá – aszexuális, aromantikus –, és ezek miatt Georgia még inkább elbizonytalanodik az érzéseiben. Az a sorsa, hogy szeretet nélkül éljen? Vagy mindvégig rossz dolog után kutatott?

Nick Nelson

TELJES NÉV

Nicholas Nelson

ÉLETKOR

18

ISKOLAI ÉVFOLYAM

13.

SZÜLETÉSNAP

Szeptember 4.

KEDVELI

- rögbi
- kutyák
- sütés

UTÁLJA

- horrorfilmek
- bogarak
- zaklatók

Charlie Spring

TELJES NÉV

Charles Francis Spring

ÉLETKOR

17

ISKOLAI ÉVFOLYAM

12.

SZÜLETÉSNAP

Április 27.

KEDVELI

- zene
- Nick pulcsijai
- szundikálás

UTÁLJA

- ha nincs wifi
- fázni
- rossz mentális egészségi állapotú napok

Alice Osemanről

Alice Oseman 1994-ben született az angliai Kentben. 2016-ban diplomázott angol szakon a Durham Egyetemen, jelenleg főállású író és illusztrátor. Alice általában céltalanul bámulja a számítógép-képernyőt, megkérdőjelezi a létezés értelmetlenségét, valamint bármit és mindent megtesz, hogy elkerülje az irodai munkát. Alice első könyve, a *Solitaire – Pasziánsz,* tizenkilenc éves korában jelent meg.

Kövesd Alice Osemant Twitteren és Instagramon: @AliceOseman